« Le difficile n'est pas de monter, mais, en montant, de rester soi. »

MICHELET

Sommaire

Note : Les références aux pages renvoient à la collection Folio, parue chez Gallimard.

1 | Stendhal et son temps

« Il aima Cimarosa, Shakespeare, Mozart, Le Corrège. Il aima passionnément V..., M..., A..., Ange M..., C..., et quoiqu'il ne fût rien moins que beau, il fut aimé beaucoup de quatre ou cinq de ces lettres initiales » (Notice biographique sur Henri Beyle, avril 1837, à lire après sa mort, non avant).

	Vie et œuvres de Stendhal	Mouvement littéraire	Événements politiques
1783	Naissance à Grenoble d'Henri Beyle		
			1789 Début de la Révolution française
1790	Mort de sa mère. Enfance sombre		
1793	Allégresse à l'annonce de l'exécution de Louis XVI		1793 Exécution de Louis XVI
1796	Études à l'École Centrale de Grenoble		1795-1799 Le Directoire
1799	Paris (Hôtel Daru). Armée d'Italie. Sous-lieutenant au 6e Dragon. Démissionne. Vit à Paris, fait quelques voyages. Esquisses de comédie. Rédaction d'un journal intime	Chateaubriand : *Atala* Chateaubriand : *René, Le génie du christianisme*	1799-1804 Le Consulat / 1804-1814 L'Empire
1806	Adjoint au commissaire des guerres. Vit en Allemagne puis en Autriche	Mme de Staël : *De l'Allemagne*	
1811	Auditeur au Conseil d'État à Paris	Byron : *Childe Harold*	Guerres incessantes
1812	Campagne de Russie	Leopardi : *Poesia romantica*	

	Vie et œuvres de Stendhal	Mouvement littéraire	Événements politiques
1813	Campagne de Saxe		
1814	Campagne du Dauphiné		Première abdication à Fontainebleau
1815	Vit à Milan : théâtre, musique, amour *Vie de Haydn, Mozart, Métastase*		Waterloo Première Restauration **1815-1824**
1816	*Vie de Napoléon* (publiée plus tard)		Règne de Louis XVIII
1817	*Histoire de la peinture en Italie, Rome, Naples, Florence*	Lamartine : *Méditations*	
1821	Séjour à Paris, coupé de voyages à Londres et en Italie		**1821** Mort de Napoléon
1822	*De l'amour*		
1823	*Vie de Rossini*	*Mémorial de Sainte-Hélène*	
1825	*Racine et Shakespeare*	Vigny : *Poèmes antiques et modernes*	**1824-1830** Règne de Charles X
1827	*Armance* (premier roman de Stendhal)	Hugo : *Préface de Cromwell* qui entame le grand combat romantique	Les ultras au pouvoir
1829	*Promenades dans Rome*	Hugo : *Les Orientales*	
1830	*Le rouge et le noir*	Victor Hugo : *Hernani* Lamartine : *Harmonies*	**1830** Révolution de Juillet Les Trois Glorieuses
1831	Consul à Civita-Vecchia [*Vie de Henry Brulard*] Nombreux séjours à Rome [*Souvenirs d'égotisme*]	Hugo : *Notre-Dame de Paris* Balzac : *La peau de chagrin*	**1830-1848** Règne du roi bourgeois : Louis-Philippe

	Vie et œuvres de Stendhal	Mouvement littéraire	Événements politiques
	[*Lucien Leuwen*] *Chroniques italiennes* [*Lamiel*]	Balzac : *Eugénie Grandet* Balzac : *Le Père Goriot*	
1835		Balzac : *Le lys dans la vallée* Vigny : *Servitude et grandeur militaires,* *Chatterton* Musset : *Lorenzaccio* Hugo : *Les Chants du crépuscule*	**1835** Attentat manqué de Fieschi contre Louis-Philippe : mesures répressives, en particulier contre la presse
1836	Retour à Paris	Musset : *La Confession d'un enfant du siècle*	
1838	*Mémoires d'un touriste*	Hugo : *Ruy Blas*	
1839	*La Chartreuse de Parme*		
1840	Séjour à Civita-Vecchia	Victor Hugo : *Les rayons et les ombres* Mérimée : *Colomba*	
1841	Retour à Paris : crise d'apoplexie		
1842	Mort à Paris		

N.B. Les titres entre crochets indiquent que les ouvrages ont été publiés après la mort de Stendhal

Stendhal
et « Le rouge et le noir » [2]

Lorsqu'il publie *Le rouge et le noir*, en 1830, Stendhal a quarante-sept ans. Certes, il a déjà toute une œuvre derrière lui : biographies d'artistes, critique esthétique, traités littéraires et psychologiques. Mais il est un romancier presque débutant : *Armance*, l'unique roman qui précède *Le rouge*, est un ouvrage très mince. *Le rouge* marque donc une étape capitale dans la création de Stendhal : son choix de la forme romanesque comme mode d'expression privilégiée.

« Je ne puis mettre de haute portée ou d'esprit dans le dialogue tant que je songe au fond. De là l'avantage de travailler sur un conte tout fait comme Julien Sorel » note Stendhal dans les *Marginalia* de *Lucien Leuwen*. La trame romanesque du *Rouge* est en effet empruntée à un fait divers publié dans *la Gazette des tribunaux* en décembre 1827. On jugera de la ressemblance entre Antoine Berthet et Julien Sorel d'après les extraits suivants qui méritent d'être largement cités :

« Antoine Berthet, âgé aujourd'hui de vingt-cinq ans, est né d'artisans pauvres mais honnêtes; son père est maréchal-ferrant dans le village de Brangues. Une frêle constitution, peu propre aux fatigues du corps, une intelligence supérieure à sa position, un goût manifesté de bonne heure pour les études élevées, inspirèrent en sa faveur de l'intérêt à quelques personnes; leur charité plus vive qu'éclairée songea à tirer le jeune Berthet du rang modeste où le hasard de la naissance l'avait placé, et à lui faire embrasser l'état d'ecclésiastique.

Le curé de Brangues l'adopta comme un enfant chéri, lui enseigna les premiers éléments des sciences, et, grâce à ses bienfaits, Berthet entra, en 1818, au Petit séminaire de Grenoble. En 1822, une maladie grave l'obligea à discontinuer ses études. Il fut recueilli par le curé, dont les soins suppléèrent avec succès à l'indigence de ses parents. A la pressante sollicitation de ce protecteur, il fut reçu par M. Michoud qui lui confia l'éducation d'un de ses enfants; Mᵐᵉ Michoud, femme aimable et spirituelle, alors âgée de trente-six ans, et d'une réputation intacte, pensa-t-elle qu'elle pouvait sans danger prodiguer des témoignages de bonté à un jeune homme de vingt ans dont la santé délicate exigeait des soins particuliers? Une immoralité précoce dans Berthet le fit-elle se méprendre sur la nature de ces soins? Quoi qu'il en soit, avant l'expiration d'une année, M. Michoud dut songer à mettre un terme au séjour du jeune séminariste dans sa maison (...).

En 1825 il obtint d'être admis au Grand séminaire de Grenoble; mais après y être demeuré un mois, jugé par ses supérieurs indigne des fonctions qu'il ambitionnait, il fut congédié sans espoir de retour (...).

Berthet parvint encore à se placer chez M. de Cordon en qualité de précepteur. Il avait alors renoncé à l'Église; mais, après un an, M. de Cordon le congédia pour des raisons imparfaitement connues et qui paraissent se rattacher à une nouvelle intrigue. Il songea de nouveau à la carrière qui avait été le but de tous ses efforts, l'état ecclésiastique. Mais il fit et fit faire de vaines sollicitations auprès des séminaires de Belley, de Lyon et de Grenoble. Il ne fut reçu nulle part; alors le désespoir s'empara de lui. Pendant le cours de ces démarches, il rendait les époux Michoud responsables de leur inutilité. Les prières et les reproches qui remplissaient les lettres qu'il continua d'adresser à M. Michoud devinrent des menaces terribles. On recueillit des propos sinistres : « Je veux la tuer », disait-il dans un accès de mélancolie farouche (...). Ces étranges moyens produisaient une partie de leur effet. M. Michoud s'occupait activement à lui rouvrir l'entrée de quelque séminaire; mais il échoua (...). Tout ce qu'il put obtenir, fut de placer Berthet chez M. Trolliet, notaire à Morestel (...). Mais Berthet, dans son ambition déçue, était las, selon sa dédaigneuse expression, de n'être toujours qu'un magister à 200 francs de gages. Il n'interrompit point le cours de ses lettres menaçantes (...).

C'est au mois de juin dernier que Berthet était entré dans la maison Trolliet. Vers le 15 juillet, il se rend à Lyon pour acheter des pistolets; il écrit de là une lettre à Mme Michoud, une lettre pleine de nouvelles menaces; elle finissait par ces mots : « Votre triomphe sera, comme celui d'Aman, de peu de durée. » De retour à Morestel, on le vit s'exercer au tir (...).

Le dimanche 22 juillet, de grand matin, Berthet chargea ses deux pistolets à doubles balles, les place sous son habit, et part pour Brangues (...). A l'heure de la messe de paroisse, il se rend à l'église et se place à trois pas du banc de Mme Michoud. Il la voit bientôt venir accompagnée de ses deux enfants dont l'un avait été son élève. Là, il attend, immobile... jusqu'au moment où le prêtre distribua la communion... « Ni l'aspect de la bienfaitrice, dit M. le procureur général, ni la sainteté des lieux, ni la solennité du plus sublime des mystères d'une religion au service de laquelle Berthet devait se consacrer, rien ne peut émouvoir cette âme dévouée au génie de la destruction. L'œil attaché sur sa victime, étranger aux sentiments religieux qui se manifestent autour de lui, il attend avec une infernale patience l'instant où le recueillement de tous les fidèles va lui donner le moyen de porter des coups assurés. Ce moment arrive, et lorsque tous les cœurs s'élèvent vers Dieu présent sur l'autel, lorsque Mme Michoud prosternée mêlait peut-être à ses prières le nom de l'ingrat qui s'est fait son ennemi le plus cruel, deux coups de feu successifs et à peu d'intervalle se font entendre. Les assistants épouvantés voient tomber presque en même temps et Berthet et Mme Michoud, dont le premier mouvement, dans la prévoyance d'un nouveau crime, est de couvrir de son corps ses jeunes enfants effrayés. Le sang de l'assassin et celui de la victime jaillissent confondus jusque sur les marches du sanctuaire. »

Stendhal rapproche ce destin de celui d'un autre assassin de l'époque, l'ébéniste Lafargue qui avait tué sa maîtresse. Il les englobe dans sa vaste réflexion sur la « vertu », l'énergie, dont témoigne aussi, par exemple, la nouvelle *Vanina Vanini*, écrite à la même époque. A la recherche de héros aussi passionnés que les chevaliers d'autrefois, par un phénomène historique dont il propose lui-même une explication, il les trouve parmi les hommes du peuple :

« Tandis que les hautes classes de la société parisienne semblent perdre la faculté de sentir avec force et constance, les passions déploient une énergie effrayante dans la petite bourgeoisie, parmi ces jeunes gens qui, comme M. Laffargue, ont reçu une bonne éducation, mais que l'absence de fortune oblige au travail et met en lutte avec les vrais besoins.

Soustraits, par la nécessité de travailler, aux mille petites obligations imposées par la bonne compagnie, à ses manières de voir et de sentir qui étiolent la vie, ils conservent la force de vouloir, parce qu'ils sentent avec force. Probablement tous les grands hommes sortiront désormais de la classe à laquelle appartient M. Laffargue [1]. Napoléon réunit autrefois les mêmes circonstances : bonne éducation, imagination ardente et pauvreté extrême [2]. »

Le personnage de Lafargue, sur lequel il revient à plusieurs reprises dans *Promenades dans Rome*, ouvrage composé à la même époque que *Le rouge et le noir*, lui fournit aussi un certain nombre de traits physiques qu'il prête à Julien.

« Laffargue a vingt-cinq ans (...). Il a reçu de la nature une physionomie intéressante. Tous ses traits sont réguliers, délicats, et ses cheveux arrangés avec grâce. On le dirait d'une classe supérieure à celle qu'indique son état d'ébéniste [3]. »

Aussi Stendhal se vante-t-il que « tout ce qu'il raconte est réellement arrivé ». Appuyé sur l'anecdote fournie par l'actualité, il rédige rapidement son roman, entre la fin de l'année 1828 et 1830, période propice : « J'étais devenu parfaitement heureux, c'est trop dire, mais enfin fort passablement heureux en 1830 quand j'écrivais *Le rouge et le noir* [4]. »

Entre le début et la fin de la rédaction, le roman fut considérablement étoffé, et passa d'une ébauche intitulée *Julien* au gros livre que nous connaissons.

Stendhal arrêta tardivement le choix de son titre. De nombreuses explications en furent proposées, allant des couleurs de la roulette aux symboles des différents partis

1. Lafargue est orthographié avec deux f par Stendhal, contrairement aux archives judiciaires.
2. STENDHAL, *Promenades dans Rome*, 23 novembre 1828.
3. STENDHAL, *Promenades dans Rome*, 23 novembre 1828.
4. STENDHAL, *Vie de Henry Brulard*.

politiques. Henri Martineau en donne une sorte de synthèse plausible : « Ce titre, qui s'imposa brusquement à lui, répondait au goût du jour et il évoquait à la fois l'uniforme du militaire et la soutane du prêtre, le jacobinisme du jeune héros et les menées de la Congrégation, ainsi qu'en dernière analyse les chances du hasard [1]. »

Mis en vente le 15 novembre 1830, sous la forme de deux volumes in-octavo tirés à 750 exemplaires, le roman eut une seconde édition chez le même libraire, comme le prévoyait le contrat, mais ce fut tout : le roman n'eut guère de succès. Il scandalisa (cf. la critique donnée en annexes). Mais Stendhal, sûr de son génie, fit, contre les philistins de la Restauration, confiance à la postérité : « Je serai compris en 1880. »

Quant aux lecteurs du XXe siècle, les tirages du livre de poche témoignent de l'immense intérêt qu'ils portent à cet écrivain, trop incisif et cynique pour son temps.

---

1. HENRI MARTINEAU, *Le cœur de Stendhal*, chap. XXIII.

Première partie

Chapitres	Localisation	Peinture sociale
I	Verrières	La petite ville de province
II		Le Maire : M. de Rênal
III		Le dépôt de mendicité. Le curé
IV		Un paysan madré
V		
VI		
VII		Le passé de M. de Rênal
VIII	Vergy	
IX		
X		
XI		
XII	Voyage dans la montagne	
XIII	Vergy	
XIV		Chélan remplacé par Maslon
XV		
XVI		
XVII		Intrigues à Verrières
		Réunion de la Congrégation
XVIII	Verrières Bray-le-Haut	Un roi à Verrières L'évêque d'Agde
XIX	Vergy	
XX		
XXI		
XXII		Une soirée chez Valenod
XXIII		Adjudication d'une maison
XXIV	Besançon	
XXV		L'abbé Pirard
XXVI		Les séminaristes
XXVII		L'abbé Castanède
XXVIII		
XXIX		Démission de Pirard L'évêque de Besançon
XXX	Verrières	

Intrigue	Temporalité
Présentation de Mme de Rênal	Julien a dix-neuf ans
M. de Rênal vient négocier l'engagement de Julien Présentation de Julien, son enfance Rencontre entre Julien et Mme de Rênal	
Amour de Mme de Rênal pour Julien Julien prend la main de Mme de Rênal Dispute Julien - M. de Rênal Bonheur et remords de Mme de Rênal	p. 55 Printemps
Julien va chez Fouqué	trois jours
Il décide de devenir l'amant de Mme de Rênal Conquête de Mme de Rênal Julien amoureux	le lendemain
Il fait partie de la garde grâce à Mme de Rênal	3 septembre
Lettre anonyme à M. de Rênal Contre-attaque de Mme de Rênal qui retrouve la confiance de son mari Julien part pour le séminaire de Besançon	Julien a vingt ans
Épisode d'Amanda Entrée au séminaire Les infortunes de Julien Nouvelle rencontre avec Mme de Rênal Julien nommé secrétaire du marquis de La Mole	quatorze mois (p. 258)
Nuit de Julien avec Mme de Rênal	Julien a vingt-et-un ans

Chapitres	Localisation	Peinture sociale
I	Voyage Verrières-Paris	Les malheurs de la campagne
II	L'Hôtel de La Mole	La famille du marquis de La Mole
III IV V VI	Paris	Les milieux jansénistes
VII	Angleterre	M. de Rênal remplacé par M. Valenod
VIII IX X XI XII XIII XIV XV XVI XVII XVIII XIX XX XXI XXII	Paris	Bal de M. de Retz. Altamira La noblesse des salons Le complot ultra
XXIII XXIV	Strasbourg	La maréchale de Fervaques
XXV XXVI XXVII XXVIII XXIX XXX XXXI XXXII XXXIII	Paris	Peinture du milieu jésuite Une soirée chez la Maréchale Paris Une soirée à l'Opéra

Intrigue	Temporalité
Apprentissage difficile	
Première rencontre avec Mathilde qui surprend une conversation de Julien	
Duel burlesque	
Voyage de Julien	
Mathilde attirée par l'originalité de Julien Julien exprime ses idées devant Mathilde Conversation Julien-Mathilde Mathilde amoureuse de Julien Elle s'en félicite Méfiance de Julien Échange de lettres. Mathilde lui fixe un rendez-vous Appréhension de Julien Conquête de Mathilde, déception mutuelle Brouille. Julien reconquiert Mathilde Nouvelle brouille. Malheur de Julien Nouvelle nuit d'amour, nouvelle brouille Mathilde déclare à Julien qu'elle ne l'aime plus Le marquis confie une mission à Julien	
Voyage à Strasbourg	
Nouvel intérêt de Mathilde pour Julien Échange de lettres avec la Maréchale Découragement Lettre de la Maréchale à Julien Soumission de Mathilde Julien résiste à sa passion	
Reconquête de Mathilde. Elle est enceinte. Lettre Fureur du marquis. Fuite de Julien	« J'ai vingt-deux ans »

Chapitres	Localisation	Peinture sociale
XXXIV	Strasbourg	
XXXV	Paris puis Verrières	
XXXVI	Verrières puis Besançon	
XXXVII	Besançon	
XXXVIII		L'abbé Frilair
XXXIX		
XL		
XLI		Le tribunal
XLII		
XLIII		
XLIV		
XLV		

Intrigue	Temporalité
Hésitation du marquis. Donation à Julien qui obtient un grade dans l'armée et part pour Strasbourg	six semaines
Le coup de théâtre : départ de Julien pour Verrières où il tire sur Mme de Rênal	
Arrêté, il est transféré à Besançon	
Visite de Chélan et de Fouqué Mathilde tente de sauver Julien Froideur de Julien à son égard Tranquillité du prisonnier Discours de Julien. Condamnation à mort Refus de faire appel Visite de Mme de Rênal. Il accepte de faire appel Visite de Sorel père Deux visites de Mme de Rênal Exécution de Julien	deux mois Julien a « vingt-trois ans » (p. 569)

4 | Jeunesse et société ou « La chronique de 1830 »

LA TRAGÉDIE DE LA JEUNESSE SOUS LA RESTAURATION

Dans *Le rouge et le noir*, Julien Sorel fait figure d'une espèce de « sauvage », d'une sorte d' « Ingénu » transposé dans la France du XIXᵉ siècle. Il va parcourir la société et en découvrir - souvent naïvement - les structures et les mécanismes, réalités sordides derrière des apparences brillantes.

La confrontation du héros avec le monde, son apprentissage puis sa désillusion, ne sont pas des cas fortuits. Ils reflètent l'expérience de toute une partie de la jeunesse française de l'époque et rejoignent les témoignages apportés par nombre de grands écrivains du temps (Musset dans *La Confession d'un enfant du siècle*, Vigny dans le premier chapitre de *Servitude et grandeur militaires*, Balzac dans *Le père Goriot*, *Les illusions perdues* et d'autres romans encore) sur une génération conçue « entre deux batailles [1] » et qui a grandi pendant les guerres napoléoniennes.

« Les maîtres ne cessaient de nous lire les bulletins de la grande Armée, et nos cris de Vive l'Empereur ! interrompaient Tacite et Platon. Nos précepteurs ressemblaient à des hérauts d'armes, nos salles d'études à des casernes [2]... » Or, lorsque ces adolescents espèrent enfin participer à la grande épopée, ils apprennent la défaite, l'occupation étrangère, le retour des Bourbons.

« Un sentiment de malaise inexprimable commença donc de fermenter dans tous ces jeunes cœurs. Condamnés au repos par les souverains du monde, livrés aux cuistres de

---

1. MUSSET, *La Confession d'un enfant du siècle* (chap. II).
2. VIGNY, *Servitude et grandeur militaires* (chap. I).

toute espèce, à l'oisiveté et à l'ennui, les jeunes gens voyaient se retirer d'eux les vagues écumantes contre lesquelles ils avaient préparé leurs bras[1]. »

Que leur propose-t-on en compensation?

« Quand les enfants parlaient de gloire, on leur disait : « Faites-vous prêtres »; quand ils parlaient d'ambition : « Faites-vous prêtres »; d'espérance, d'amour, de force, de vie : « Faites-vous prêtres ! » Désormais les grandes actions et, avec elles, les possibilités d'ascension facile, manquent : les jeunes ne trouvent plus leur place dans une société fermée où l'on ne leur offre guère, s'ils sont d'origine modeste, que des emplois subalternes. Il n'y a plus de perspectives de fortune rapide pour les jeunes provinciaux qui montent à Paris se couvrir de gloire, qu'ils s'appellent Rubempré ou Rastignac : difficultés matérielles, ennui, atmosphère étouffante, tout est fait pour les rebuter dans une société qui refuse les idées neuves, qui ne connaît que la valeur des titres nobiliaires et plus encore celle de l'argent. Ils sont écartés aussi de la vie politique par les conditions d'âge et de cens. La France de la Restauration est une véritable gérontocratie. *Le Journal des Débats* du 30 octobre 1826 traduit bien cette mise à l'écart de la jeunesse : « Elle croît dans la disgrâce, elle mûrit dans l'exil. »

Pourquoi un tel ostracisme?

Pour le pouvoir en place ces nouveaux venus représentent la menace d'un retour à la tourmente révolutionnaire. Mme de Rênal est étonnée par les paroles de Julien « parce que les hommes de sa société répétaient que le retour de Robespierre était surtout possible à cause de ces jeunes gens des basses classes, trop bien élevés » (p. 123). Le marquis de La Mole désigne précisément l'ennemi lorsqu'il appelle les ultras à se mobiliser :

« Il faut enfin qu'il y ait en France deux partis, reprit M. de La Mole, mais deux partis (...) bien nets, bien tranchés. Sachons qui il faut écraser. D'un côté les journalistes, les électeurs, l'opinion en un mot; la jeunesse et tout ce qui l'admire. Pendant qu'elle s'étourdit du bruit de ses vaines paroles, nous, nous avons l'avantage certain de consommer le budget » (p. 439).

---

1. Musset, *La Confession d'un enfant du siècle* (chap. 1).

Lors de son procès, Julien rattachera enfin son cas à celui de tous ces jeunes bourgeois. Tout le livre va être un apprentissage qui l'amène de la naïveté et de l'aveuglement à la désillusion et à la lucidité.

C'est à travers les yeux du héros que l'on découvre la société de 1830. Les trois cadres de l'action choisis par Stendhal ne sont pas arbitraires. Les milieux de Verrières, de Besançon et de Paris permettent de peindre les forces qui s'affrontent alors : la noblesse, le clergé, la bourgeoisie industrielle, la jeunesse petite-bourgeoise. (Jamais la classe ouvrière n'apparaît en tant que telle dans *Le rouge*.)

LA SOCIÉTÉ VUE PAR JULIEN SOREL

• *Verrières : ordre établi et luttes intestines*

Sur la petite ville de province pèse la tyrannie des deux forces qui ont repris le pouvoir en 1815 : l'aristocratie et le clergé. Derrière leur unité apparente, Stendhal montre aussi les luttes entre la Congrégation, la noblesse, et la bourgeoisie industrielle. Verrières, « la petite ville » (cf. le titre du premier chapitre), est un bon exemple du climat moral de la province où l'argent constitue l'unique préoccupation des habitants : « Voilà le grand mot qui décide de tout à Verrières : rapporter du revenu. A lui seul il représente la pensée habituelle de plus des trois quarts des habitants » (p. 29).

« La mutilation périodique » des beaux arbres de la commune « impitoyablement amputés », arbres qui « ne demanderaient pas mieux que d'avoir ces formes magnifiques qu'on leur voit en Angleterre » (p. 28), est symbolique : rien de généreux, de vigoureux, de noble ne peut se développer à Verrières. Cette amputation symbolise le refus de toute « innovation », la « tyrannie de l'opinion », l' « ennuyeux despotisme » de la petite ville de province. La politique elle-même s'y réduit à de mesquines intrigues. En effet, les grands problèmes sont discutés ailleurs, les notables locaux n'ont pas vraiment prise sur les rouages de la décision. Cela explique la médiocrité des intrigues politiques locales : Moirod et le problème de l'alignement de rue (I, chap. 17), l'adjudication de la maison à Saint-Giraud, chef de bureau à la préfecture (I, chap. 23), la visite de M. Appert au dépôt de mendicité, le séjour d'un roi, la procession religieuse de Bray-le-Haut, la révocation du curé Chélan, etc... L'atmosphère devint vite irrespirable, étouffante (lettres anonymes, commérages de domestiques, espionnage, peur du qu'en-dira-t-on, crainte de se montrer chez le libraire taxé de libéralisme) pour tous ceux qui ont quelque valeur [1]. Ils sont révoqués ou bien décident de fuir « cet enfer d'hypocrisie et de tracasseries » (p. 276) : Chélan, Pirard, Fouqué, Falcoz.

Le premier chapitre de la deuxième partie, intitulé par antiphrase *Les plaisirs de la campagne*, résume cet état de choses. C'est que derrière l'autorité en place, le maire, M. de Rênal, il y a une véritable « dictature cléricale » de la Congrégation, société secrète ultra, portion politisée de l'Église que Stendhal assimile aux Jésuites. Cette Congrégation dispose des places, fait et brise les carrières selon les dispositions qu'on manifeste à son égard. Elle gouverne les femmes par l'éducation et la confession. Mme de Rênal, « élevée chez des religieuses adoratrices passionnées du *Sacré-Cœur de Jésus*, et animées d'une haine violente pour les Français ennemis des jésuites » (p. 60), retombera sous la coupe des Jésuites par son confesseur qui l'oblige à recopier la lettre adressée au marquis de La Mole : « Quelle horreur m'a fait commettre la religion ! lui disait-elle ; et encore j'ai adouci les passages les plus affreux de cette lettre. » La confession offre à la Congrégation l'occasion de s'immiscer à l'intérieur de chaque foyer et de s'imposer aux consciences. Quant aux hommes, ils sont obligés de la financer.

Falcoz expose les insultes dont il a été l'objet pour avoir voulu donner directement aux pauvres sans recourir aux associations pieuses (p. 275). La Congrégation va jusqu'à afficher les dons de chacun et M. de Rênal, qui se montre peu généreux, en subira les conséquences. « Le clergé ne badine pas sur cet article » (p. 182). Stendhal évoque aussi les réunions mystérieuses de la Congrégation dans une ancienne grange ; là, tous les derniers vendredis du mois, se retrouvent les hommes de Verrières et, quel que soit le rang social, tout le monde se tutoie. Mme de Rênal confie à Julien : « Nous

---

1. « Malheur à qui se distingue! » (p. 183).

payons vingt francs par domestique afin qu'un jour ils ne nous égorgent pas » (p. 125).

La Congrégation maîtrise ceux qui ne sont pas assez dociles (le juge de paix de Verrières est très vite dompté (p. 46), ou se débarrasse d'eux.

Les jansénistes sont éliminés (le curé Chélan, l'abbé Pirard); M. de Rênal est remplacé par Valenod, plus généreux et plus docile. L'ancien maire devient alors le candidat des libéraux, ce qui illustre la dérision des luttes politiques en province. A la fin du roman, la Congrégation a installé tous ses suppôts : le vicaire Maslon, Frilair, le futur évêque, l'abbé Castanède, Valenod, maire et futur préfet.

• Le séminaire de Besançon

Après la peinture de la dictature de l'Église, on découvre avec Julien les centres où elle instruit ses prêtres. Le séminaire de Besançon est bien l'école par excellence de l'hypocrisie, de la méchanceté, de l'arrivisme et de la division. Être prêtre devient un métier, une situation pour des fils de paysans pauvres et ambitieux. C'est là qu'on apprend aux élèves une hypocrisie constante : « Me voici enfin dans le monde, tel que je le trouverai jusqu'à la fin de mon rôle, entouré de vrais ennemis. Quelle immense difficulté, ajoutait-il, que cette hypocrisie de chaque minute ! C'est à faire pâlir les travaux d'Hercule ! » (p. 218).

Là, plus qu'ailleurs, toute originalité, toute pensée est sévèrement réprimée : « La science n'est donc rien ici ! » (p. 218) remarque Julien. Il s'agit de former de bons acteurs dociles, capables, à leur échelle, de jouer la comédie aussi bien que l'évêque d'Agde lors de la cérémonie de Bray-le-Haut : tout se réduit à des gestes, à un cérémonial vidé de son contenu et l'ecclésiastique se prépare comme un acteur avant la représentation. Cette comédie, ces rites, Julien va les retrouver à Paris.

• Paris ou « le centre de l'intrigue et de l'hypocrisie »

La capitale est le lieu par excellence des intrigues et des faveurs : la maréchale de Fervaques fait miroiter une nomination d'évêque à Frilair, Julien obtient le bureau de loterie de Verrières pour Cholin; il n'est donc pas étonnant d'y voir affluer les intrigants et les ambitieux (Valenod).

A peine arrivé, Julien est aussitôt introduit dans les salons de la grande aristocratie (La Mole, Fervaques, Retz) mais une fois encore la réalité qu'il va découvrir n'est guère enthousiasmante.

L'ennui, la contrainte et la convention règnent en maître. Les jeunes aristocrates ne sont plus que des dandys, des fantoches sans énergie et sans avenir dont les conversations se réduisent à des potins de cour, à des pointes ironiques contre les subalternes, des « nigauds à tranche dorée » pense Mathilde (p. 331). Les soirées de ces salons représentent la cérémonie, la comédie que la vieille aristocratie s'offre à elle-même pour croire encore à sa grandeur. Quel contraste pourtant avec les salons du XVIIIe siècle ! Le comte Altamira, seul personnage authentique, dévoile à Julien son opinion : « On hait la pensée dans vos salons. Il faut qu'elle ne s'élève pas au-dessus de la pointe d'un couplet de vaudeville : alors on la récompense (...). Tout ce qui vaut quelque chose, chez vous, par l'esprit, la Congrégation le jette à la police correctionnelle ; et la bonne compagnie applaudit. C'est que votre société vieillie prise avant tout les convenances » (pp. 346-347).

Là, comme à Verrières, on intrigue, et ces machinations se veulent de la haute politique. Les ultras, effrayés par l'agitation de la jeunesse petite-bougeoise, complotent ; mais les personnages qui défilent devant Julien sont souvent grotesques et le marquis de La Mole en a presque honte. Les ultras ne voient d'ailleurs plus de recours que dans l'intervention d'une puissance étrangère. On est donc bien en présence d'une société inauthentique imbue de ses privilèges, mais ne croyant plus en elle-même. Dans la France de 1830 quelles sont les perspectives d'avenir pour un Julien Sorel ?

LES JEUNES FACE A CETTE SOCIÉTÉ

Il apparaît d'abord que cette jeunesse, que les ultras représentent comme un parti unifié, ne constitue pas en réalité un groupe homogène et n'a pas en conséquence une claire conscience de sa solidarité. Tout, d'ailleurs, dans la société, tend à diviser les jeunes, les amène à rivaliser, à se disputer les places; Vautrin, dans un discours à Rastignac, dans *Le père Goriot*, peint cette situation avec lucidité :

« Une rapide fortune est le problème que se proposent de résoudre en ce moment 50 000 jeunes gens qui se trouvent tous dans votre position. Vous êtes une unité de ce nombre-là. Jugez des efforts que vous avez à faire et de l'acharnement au combat. Il faut vous manger les uns les autres comme des araignées dans un pot, attendu qu'il n'y a pas 50 000 places (...). Il faut entrer dans cette masse d'hommes comme un boulet de canon ou s'y glisser comme une peste, l'honnêteté ne sert à rien. »

● *L'abstention ou la résignation*

Certains refusent de se « salir les mains », d'user de moyens qu'ils réprouvent. Ce ne sont cependant pas des révolutionnaires (la perspective est absente du *Rouge* et « cette jeunesse qui fait des articles incendiaires dans *Le Globe* » - pp. 438-439 - ne semble pas exister pour le héros).

Fouqué, l'ami d'enfance de Julien, symbolise cette attitude. Il est le correspondant de Séchard, l'ami de Lucien de Rubempré dans *Les illusions perdues*. C'est un petit-bourgeois jacobin, « esprit sage » (p. 254) voulant garder son indépendance, qui vit retiré dans les montagnes. La médiocrité bourgeoise lui épargne au moins l'hypocrisie. Il met Julien en garde contre les tentations de l'ambition; mais ce dernier n'y voit que « la petitesse d'esprit d'un bourgeois de campagne » (p. 254). Julien sera fort surpris cependant, à la fin du roman, de découvrir la générosité et le dévouement de Fouqué, prêt à tout sacrifier pour le sauver. Géronimo, l'artiste, représente, lui, une solution à part : une vie en marge, dans le monde de la musique; une vie de dilettante, dans l'instant et sans perspective.

● *Les arrivistes*

Ils reprennent à leur compte les mots d'ordre des gens en place : privilèges et jouissances. Acceptant facilement d'abandonner tout idéal, ils ont recours aux pires compromissions pour réussir. Ils jouent le jeu que Vautrin décrit à Rastignac : chacun pour soi et tous les moyens sont bons.

Ce sont les séminaristes de Besançon et les arrivistes parisiens (Tanbeau). Les premiers sont prêts à tout accepter, même de devenir des monstres, même d'abdiquer toute pensée personnelle.

« Des gloutons qui ne songent qu'à l'omelette au lard qu'ils dévoreront au dîner, ou des abbés Castanède, pour qui aucun crime n'est trop noir ! Ils parviendront au pouvoir; mais à quel prix, grand Dieu ! » (p. 224).

Julien les méprise comme il méprisera à Paris le petit Tanbeau. Mais que veut-il au juste et au nom de quoi critique-t-il les autres arrivistes ?

• Julien Sorel ou l'ambiguïté

Peu de héros de romans ont été interprétés plus diversement. Julien est-il un arriviste, un hypocrite, un révolté, un calculateur froid ou un homme excessivement sensible ? L'erreur serait de considérer Julien comme un caractère déjà fait, et de vouloir unifier ses conduites successives. On est en présence d'un tout jeune homme (dix-neuf ans au départ), qui va évoluer, se faire progressivement sous nos yeux au cours de ce roman d'apprentissage et d'éducation. Il faut aussi tenir compte de ses illusions, faire le partage entre ce que Julien croit être et ce qu'il est en réalité, entre ce qu'il est à un certain moment et ce qu'il devient par la suite. Il y a, en effet, chez lui, absence complète de clairvoyance et son itinéraire va justement l'amener de la confusion consciente ou inconsciente sur lui-même à la clarification et à l'authenticité.

UN PETIT-BOURGEOIS QUI SE CROIT PLÉBÉIEN. Le flou du personnage, ses illusions apparaissent déjà dans les termes qu'il emploie pour se caractériser : « plébéien », « fils de paysan », « fils de charpentier », « fils d'ouvrier », « domestique », « ouvrier », « paysan », sont utilisés indifféremment. En réalité, Julien est un jeune petit-bourgeois en raison de l'éducation qu'il a reçue successivement du vieux chirurgien-major qui lui a enseigné le latin et l'histoire, du curé Chélan, de Mme de Rênal, du séminaire. A Paris, tout en servant le marquis, il continue d'étudier régulièrement à l'école de théologie (II, 5). Il suffit encore de rappeler le rôle des livres chez cet intellectuel (la scène symbolique où Julien apparaît pour la première fois, plongé dans la lecture du *Mémorial de Sainte-Hélène;* les péripéties de l'abonnement chez le libraire de Verrières, ses lectures secrètes au séminaire; la soirée chez l'archevêque et le don des livres de Tacite, ses séjours dans la « librairie » du marquis). Cette éducation l'isole de tous les autres habitants de la petite ville, qui le considèrent comme une « bête curieuse », puis des séminaristes, fils de paysans, en fait un étranger, un être en marge.

Cette première erreur d'appréciation de Julien sur lui-même, confirmée d'ailleurs par les aristocrates pleins de mépris, aura des conséquences, car il s'imagine appartenir à une classe qui n'est pas la sienne et dans ce mythe du plébéien il pense trouver contre la compromission et le « passage de l'autre côté de la barrière » des garanties qu'il n'a pas en réalité. Il agit à partir d'une illusion entretenue par les autres mais aussi par lui-même.

UN INGÉNU QUI SE CROIT HYPOCRITE. Julien a choisi comme moyen de réussite une arme qui correspond peu à ses capacités et surtout à sa nature. En effet, ce personnage qui se veut fin diplomate, au courant des règles du monde et froid calculateur, se révèle le plus souvent étourdi, ignorant et ingénu, impulsif et d'une sensibilité excessive.

Julien est un vrai sauvage au début du roman; son arrivée chez Mᵐᵉ de Rênal rappelle celle de J.-J. Rousseau chez Mᵐᵉ de Warens. Il trahit au moins deux fois sa passion pour Napoléon. Au séminaire, il va multiplier les maladresses, s'attirer l'inimitié de tous et gagner le surnom de « Martin Luther ». Son arrivée à Paris fait penser à l'attitude de l'ingénu de Voltaire. Il commet de nombreuses bévues, incidents tragi-comiques qui déclenchent le rire de ses hôtes : la scène du tailleur (II, 2), ses mésaventures équestres (II, 3), ses fautes d'orthographe (II, 2), son duel burlesque avec le chevalier de Beauvoisis (II, 6). « Si tout semblait étrange à Julien dans le noble salon de l'hôtel de La Mole, ce jeune homme pâle et vêtu de noir semblait à son tour fort singulier aux personnes qui daignaient le remarquer. Mᵐᵉ de La Mole proposa à son mari de l'envoyer en mission les jours où l'on avait à dîner certains personnages » (p. 297).

D'autre part, ce prétendu froid calculateur a vite les larmes aux yeux, comme en témoignent ses effusions de sensibilité avec l'abbé Pirard ou avec le marquis et son indignation lors du dîner chez Valenod. Il ne trompe finalement personne, ni le simple curé Chélan, ni les séminaristes, ni Fouqué. Comme le lui dit l'abbé Pirard : « Je vois en toi quelque chose qui offense le vulgaire. La jalousie et la calomnie te poursuivront. En quelque lieu que la Providence te place, tes compagnons ne te verront jamais sans te haïr » (p. 236). Enfin Julien ne sait pas suffisamment s'oublier pour jouer un rôle; ce constant sentiment du devoir envers lui-même l'amène à des décisions souvent heureuses mais qu'il n'aurait pas dû prendre s'il avait voulu rester fidèle à son rôle (toutes les obligations qu'il s'impose avec Mme de Rênal).

D'ailleurs il n'a pas vraiment de plan à long terme. Chaque fois qu'il doit entreprendre une démarche nouvelle, il s'inspire d'autrui. Il n'a aucun don naturel pour la dissimulation. Ses modèles successifs sont J.-J. Rousseau *(La Nouvelle Héloïse)*, les lettres de Korasoff, le personnage de Tartuffe dont il connaît les tirades par cœur. Mais, placé dans une telle situation, il joue son rôle avec réticence et sans aucun enthousiasme (son aventure avec la maréchale de Fervaques, sérieusement poursuivie, pouvait le mener à la fortune). Son hypocrisie lui est tellement insupportable qu'à chaque occasion, il doit se fournir des excuses d'employer un tel procédé : « Hélas ! c'est ma seule arme ! à une autre époque, se disait-il, c'est par des actions parlantes en face de l'ennemi que j'aurais *gagné mon pain* » (p. 213). Ces réflexions de Julien, lors de son séjour au séminaire, sont ainsi jugées par Stendhal : « Égaré par toute la présomption d'un homme à imagination, il prenait ses intentions pour des faits, et se croyait un hypocrite consommé. Sa folie allait jusqu'à se reprocher ses succès dans cet art de la faiblesse » (p. 213). Ce commentaire pourrait être généralisé à la conduite de Julien pendant presque tout le roman.

Selon Stendhal, « l'hypocrisie, pour être utile, doit se cacher » (pp. 355-356); or Julien se livre à tout moment : « Julien était las de se mépriser. Par orgueil, il dit franchement sa pensée » (p. 356).

Dès lors on comprend son indignation devant les vrais hypocrites. Quand il se trouvera placé dans une situation où l'hypocrisie serait la seule arme qui pourrait le sauver, il révélera son incapacité profonde à l'utiliser et précipitera ainsi son échec.

UN RÉVOLTÉ QUI DEVIENT AMBITIEUX. Enfin le personnage est ambigu par les objectifs qu'il se fixe dans la société. Que recherche-t-il exactement ?

Son éducation a fait de lui un intellectuel petit-bourgeois souffrant de sa singularité, du décalage entre sa « valeur » et la place qui lui est réservée dans la société. Il compense justement cette humiliation en fuyant dans le monde chimérique des livres et des mythes la réalité médiocre de Verrières. C'est à l'occasion de ces lectures qu'il échafaude « les rêves héroïques de sa jeunesse » (p. 103), qu'il s'envole « dans les pays imaginaires » (p. 572), qu'il éprouve une admiration sans bornes pour Napoléon.

Il n'est pas étonnant qu'à partir de là, il refuse globalement les perspectives qui lui sont offertes. Pour lui, réussir, ce n'est pas accepter les fausses valeurs de la société de Verrières ; réussir, c'est échapper à une situation humiliante de dépendance : « Pour Julien, faire fortune, c'était d'abord sortir de Verrières ; il abhorrait sa patrie. Tout ce qu'il y voyait glaçait son imagination » (p. 47). Le poste de précepteur obtenu chez M. de Rênal ne fait qu'exacerber sa fierté.

Les affronts qu'il doit endurer développent sa haine pour les nobles et les bourgeois. Au sujet d'une de ces scènes, Stendhal commente : « Ce sont sans doute de tels moments d'humiliation qui ont fait les Robespierre » (p. 83). Donc chez lui la réussite doit être une *revanche* sociale, un moyen de sortir de son état ; il considère les riches, les gens en place, comme des *ennemis* à combattre, non comme des gens à envier, non comme des modèles à atteindre. Ce qu'il veut, c'est la démonstration de sa supériorité. Cela explique qu'il écarte toutes les possibilités de fortune qui ne prouveraient pas sa « vertu » : les propositions de Fouqué, la cure de l'abbé Pirard, le mariage et les millions de Korasoff : « Je n'épouserai pas les millions que m'offre Korasoff » (p. 456). Un Rastignac, lui, les aurait acceptés.

Il refuse aussi le modèle de vie présenté par les riches de Verrières : à l'amour exclusif de l'argent et à la vanité, il oppose le culte de l'énergie, le courage, l'exemple des grands héros de la Révolution et de Napoléon, l'estime de soi, le sens du devoir et de l'honneur. Il condamne successivement l'arrivisme de tous ceux qui l'entourent (Valenod, les séminaristes, Tanbeau). A Paris, il n'a aucune stratégie pour réussir, il n'essaye même pas de se trouver des appuis, de se lier à une coterie comme devrait le faire un ambitieux sans scrupule :

« Ce n'est point l'amour non plus qui se charge de la fortune des jeunes gens doués de quelque talent comme Julien ; ils s'attachent d'une étreinte invincible à une coterie, et quand la coterie fait fortune, toutes les bonnes choses de la société pleuvent sur eux. Malheur à l'homme d'étude qui n'est d'aucune coterie, on lui reprochera jusqu'à de petits succès fort incertains » (p. 413).

Or, à la fin du roman, lorsque Mathilde a avoué à son père ses rapports avec Julien, le marquis a conscience de l'absence d'appui de Julien dans la société, de la fragilité de sa situation : « Julien ne s'est affilié à aucun salon, à « aucune coterie ». Il ne s'est ménagé aucun appui contre moi, pas la plus petite ressource si je l'abandonne... [...] Non, il n'a pas le génie adroit et cauteleux d'un procureur qui ne perd ni une minute ni une opportunité... » (pp. 505-506).

Mais comment concilier alors cette attitude avec certaines pensées de Julien qui sont bien celles d'un arriviste ?

Ses réflexions devant l'évêque d'Agde sont particulièrement inquiétantes : « Si jeune, pensait-il, être évêque d'Agde ! mais où est Agde ? Et combien cela rapporte-t-il ? deux ou trois cent mille francs peut-être » (p. 136). Il est hypnotisé par l'élégance de cet évêque : « Plus on s'élève vers le premier rang de la société, se dit Julien, plus on trouve de ces manières charmantes » (p. 136). La condamnation de Julien épargnerait-elle le sommet de la hiérarchie sociale, se limiterait-elle à une condamnation des parvenus et de la bassesse bourgeoise ? Durant tout le roman, on va le voir révéler ainsi une faiblesse que le curé Chélan avait très finement signalée à l'abbé Pirard dans sa lettre de recommandation : « Trop de sensibilité aux vaines grâces de l'extérieur » (p. 210). En effet, en maintes occasions, il se laissera éblouir par les honneurs, le luxe, l'élégance : lors de l'épisode de la garde à cheval qui reçoit le roi en visite à Verrières, « Julien était le plus heureux des hommes (...). Il était au comble de la joie » (p. 131). Julien manifestera le même enthousiasme au bal de M. de Retz. Il éprouvera une « admiration stupide » (p. 452) pour le prince Korasoff et précédemment pour le chevalier de Beauvoisis ; à la fin du roman, il sera grisé par son titre de lieutenant des hussards et par son bel uniforme. Lors de son séjour en prison, il reconnaîtra cette faiblesse : « Là, comme ailleurs, le mérite simple et modeste a été abandonné pour ce qui est brillant » (p. 551) ; il avouera qu'il a été « dupe des apparences » (p. 565).

N'a-t-il été qu'un vulgaire ambitieux, ivre de gloire, de luxe, de vanité ? Comment admettre en même temps son rôle de plébéien révolté et cette exaltation devant le moindre succès obtenu ? Faut-il lui appliquer le jugement qu'il porte lui-même sur J.-J. Rousseau : « Tout en prêchant la république et le renversement des dignités monarchiques, ce parvenu est ivre de bonheur, si un duc change la direction de sa promenade après dîner pour accompagner un de ses amis » (p. 335) ?

Plus grave est la confusion de pensée qui apparaît dans ses réflexions au bal de Retz : « Julien était au comble du bonheur, ravi *à son insu* par la musique, les fleurs, les belles femmes, l'élégance générale, et, plus que tout, par son imagination qui rêvait *des distinctions pour lui et la liberté pour tous* [1] » (p. 346).

On trouve ici confondus le désir de réussite individuelle et l'aspiration à une société libre mais ce rêve de conciliation n'est absolument pas explicité. Comment ce modèle de société aristocratique pourrait-il coexister avec l'aspiration d'une liberté pour tous ?

Julien ne résout pas la contradiction, contradiction que Claude Roy, dans son *Stendhal par lui-même*, décèle chez l'écrivain, « aristocrate de peau » et républicain d'esprit et de cœur : « J'abhorre la canaille (...) en même temps que, sous le nom de *peuple*, je désire passionnément son bonheur [2]. »

Ainsi Julien condamnera-t-il Valenod comme représentant de la bassesse bourgeoise : « Il se trouvait tout aristocrate en ce moment » (p. 175).

Mais en dehors de cette contradiction, plusieurs autres facteurs l'amènent à s'illusionner sur ses objectifs.

1. C'est nous qui soulignons.
2. STENDHAL, *La Comédie est impossible*, Notes, cité par Claude Roy.

En premier lieu, sa faible culture politique qui ne lui vient que du vieux chirurgien-major et de ses lectures. Cette formation lui a donné une vision individualiste de l'histoire qui est faite par des grands hommes, des héros. La Révolution française, pour Julien, ce sont Danton, Robespierre, Bonaparte. La lecture du *Mémorial de Sainte-Hélène* et des ouvrages de Rousseau a dû accentuer cette façon individualiste, élitiste, d'interpréter les événements politiques et sociaux, plus intuitive, émotive et personnelle que scientifique.

On peut en donner pour preuve le mythe bonapartiste du héros. Le grand modèle de Julien est Napoléon; il essaye constamment d'imaginer Napoléon à sa place et s'efforce d'agir comme, selon lui, Napoléon l'aurait fait dans les mêmes circonstances. A tout moment, cette image vient enjoliver la réalité de sa situation : il transforme toutes ses aventures sous cet aspect mythique [(cf. son idéalisation du plat défilé de la garde à Verrières : « De ce moment il se sentit un héros. Il était officier d'ordonnance de Napoléon et chargeait une batterie » (p. 131)]. Ce n'est qu'à la fin du roman qu'il démythifiera son modèle et en découvrira le « charlatanisme » (p. 567). Certes, Julien a saisi de façon purement empirique certaines transformations, par exemple que la carrière militaire n'est plus une voie d'ascension sociale et qu'il vaut mieux s'engager dans l'Église. Il a aussi tiré les leçons de ses premières expériences et a compris que l'hypocrisie, le masque pouvaient seuls lui permettre de réussir dans la société de la Restauration. Mais, plus profondément, Julien ne parvient pas à prendre conscience de la modification des structures sociales et politiques intervenue depuis Napoléon. Il veut devenir un grand homme dans une société où lui-même a reconnu qu'il n'y avait plus de grands hommes, dans une société de parvenus, d'hypocrites, de fantoches.

Que veulent donc dire « réussir », « se couvrir de gloire », « le théâtre des grandes choses », et autres expressions qu'il emploie ?

Il ne développe jamais concrètement ces termes qui restent dès lors vagues et mythiques. Aucune médiation ne vient s'interposer entre son modèle (Napoléon) et la situation dans laquelle il se trouve. Il ne se rend pas compte que le succès dans la société de 1830 n'a plus du tout la même signification qu'en 1789. Il croit encore que sa réussite sera celle d'un plébéien alors qu'elle ne saurait plus que l'intégrer à la société de ses « ennemis », des « fripons ». En conséquence, il repoussera tous les avertissements du curé Chélan et de son ami Fouqué.

Progressivement il va pourtant mieux analyser les événements et la voie qu'il a choisie. Une série d'expériences l'éclairent. Son dîner chez Valenod lui suggère ces réflexions : « Voilà donc, se disait la conscience de Julien, la sale fortune à laquelle tu parviendras, et tu n'en jouiras qu'à cette condition et en pareille compagnie ! Tu auras peut-être une place de vingt mille francs, mais il faudra que, pendant que tu te gorges de viandes, tu empêches de chanter le pauvre prisonnier; tu donneras à dîner avec l'argent que tu auras volé sur sa misérable pitance et pendant ton dîner, il sera encore plus malheureux ! » (p. 173). Il exprime la même idée devant l'arrivisme des séminaristes : « Ils parviendront au pouvoir; mais à quel prix, grand Dieu ! » (p. 224).

Mais ce sont là de brefs éclairs de lucidité que Julien ne cherche pas à analyser. A chaque fois, il recourt à la lecture de son héros pour se redonner du courage, pour réveiller les « rêves héroïques de sa jeunesse » (p. 103). Il laisse ainsi les problèmes en suspens, pensant qu'il les résoudra au fur et à mesure, dans l'action. Il maintient un décalage entre ses rêves et son expérience et il se refuse à actualiser ses idées, à remettre en question les mythes entretenus par ses lectures et par des humiliations réelles ou fictives.

Pourquoi Julien voit-il le danger pour les autres mais ne tient-il pas compte de ces avertissements successifs ? L'explication est encore à chercher dans l'individualisme forcené du personnage. Ne croyant pas à l'importance des masses, il ne tente même pas de participer à un combat collectif, il surestime du même coup le rôle et l'autonomie de l'individu. Comme le dit H.-F. Imbert : « Chez lui l'individu prime la classe [1]. » Tout devient alors une question de caractère; il place toute sa confiance dans son énergie, dans son originalité pour résister à la friponnerie et faire triompher, à travers lui, un plébéien. Il pense qu'un seul individu

---

1. HENRI-FRANÇOIS IMBERT, *Les métamorphoses de la liberté*, p. 559, Corti, 1967.

peut bouleverser l'état des choses ; lui, maire de Verrières, « la justice triompherait » (p. 123). Quelle naïveté chez ce prétendu hypocrite, quelle absence de réalisme ! Lui qui joue au fin politique, prend encore au sérieux les idéaux élevés de la Révolution, alors que, désormais au pouvoir, la bourgeoisie s'est débarrassée de ce qu'elle considère maintenant comme des ornements superflus.

L'échec de Julien est celui de toute une jeunesse, élevée durant la période révolutionnaire, et qui vient se briser contre les réalités brutales de l'économie capitaliste ; celle-ci n'a plus besoin d'héroïsme « romain » et d'idéologie jacobine : il n'y a plus de place pour les aventuriers, les « conquérants » solitaires (sinon les capitaines d'industrie). Là encore, comme pour l'hypocrisie, Julien refuse d'aller jusqu'au bout de la logique bourgeoise. Cet ambitieux, qui s'illusionne sur ses projets, qui a refusé de voir la réalité en face et qui est incapable d'être un hypocrite conséquent, préférera précipiter la catastrophe plutôt que de se compromettre dans une aventure incompatible avec l'estime de soi-même. Les échecs de Julien sont bien dus à des erreurs d'appréciation sur sa propre personne et sur le monde.

Pour Stendhal, montrer ainsi à ces jeunes gens « des basses classes trop bien élevées » les illusions à éviter, les mythes à démasquer, les vrais ennemis et les vrais amis, c'est donner une leçon de clairvoyance et donc une possibilité de bonheur. En effet, comme il l'a écrit plusieurs fois : « Presque tous les malheurs de la vie viennent des fausses idées que nous avons sur ce qui nous arrive. Connaître à fond les hommes, juger sainement des événements, est donc un grand pas vers le bonheur [1]. »

1. STENDHAL, *Journal*, 10 décembre 1801.

5 | Amour et conscience de classe

Dans la mesure où l'existence de Julien se définit comme une lutte contre la société, il est normal que sa vie amoureuse s'inscrive dans ce combat. Mais la condition sociale de Julien, loin de déterminer seulement les sentiments qu'il éprouve, est aussi à la source de ceux qu'il inspire.

AMBIGUÏTÉ DES SENTIMENTS DE JULIEN ENVERS Mme DE RÊNAL

Au début du roman, le héros est vierge. Quoi qu'il nous soit précisé que sa « jolie figure » lui ait donné « quelques voix amies parmi les jeunes filles » (p. 40), la suite indique qu'il a méprisé ces succès faciles. Lors de sa première rencontre avec Mme de Rênal, sur le pas de sa maison, il est d'abord « étonné de sa beauté », mais si son trouble va jusqu'à faire défaillir sa voix, c'est que Mme de Rênal, en plus de sa beauté, possède les charmes raffinés d'une bourgeoise élégante : « La figure de Mme de Rênal était près de la sienne, il sentit le parfum des vêtements d'été d'une femme, *chose si étonnante pour un pauvre paysan* » (p. 52). La séduction féminine est l'apanage des femmes de la « bonne société », indissociable de ce que Stendhal appelle les « instruments de l'artillerie féminine », auxiliaires de beauté, mais plus encore signes d'appartenance à une classe. « Julien admirait avec transport jusqu'aux chapeaux, jusqu'aux robes de Mme de Rênal. Il ne pouvait se rassasier du plaisir de sentir leur parfum » (p. 120). Ainsi la notion de classe est-elle présentée au niveau même de la sensation physique ; l'émotion de Julien n'en est pas moins réelle, ni moins sincère le « transport » qui le porte à baiser la main de Mme de Rênal. Mais par un effet inverse, de même que les ambitions sociales de Julien se mêlaient inconsciemment à son désir, de même, une fois ce désir né, il le rationalise, en l'intégrant à sa grande bataille : « Il y aurait de la lâcheté à moi de ne pas exécuter une action qui peut m'être *utile*, se dit-il pour se donner le courage de baiser cette main. » Cette ambiguïté essentielle - désir réel, conscience de classe - régit les rapports de Julien Sorel avec Mme de Rênal pendant toute la première partie du roman, et les empoisonne. Obtenir ses faveurs, ce n'est pas gagner un plaisir, c'est surtout remporter une victoire sociale. D'où le curieux vocabulaire militaire employé, sans préciosité aucune, par Julien.

Le chapitre 9 en fournit un excellent exemple. Julien a heurté par inadvertance la main de Mme de Rênal, qui la retire aussitôt. « Il pensa qu'il était de son *devoir* d'obtenir que l'on ne retirât pas cette main. » La « scène d'amour » évoque aussitôt chez lui l'idée d'un duel. « Il l'observait comme un ennemi avec lequel il va falloir se battre. » Serrer cette main n'a donc rien d'une satisfaction sensuelle ou sentimentale, c'est se prouver que le handicap social est surmonté, que l'on n'a pas été méprisé : l'explication que Julien donnerait d'un éventuel échec de sa tentative ne serait pas son manque de séduction mais son infériorité sociale : « L'idée d'un devoir à accomplir, et d'un ridicule ou plutôt d'un *sentiment d'infériorité* à encourir si l'on n'y parvenait pas, éloigna sur-le-champ tout plaisir de son cœur » (p. 77). Ce complexe lui fait interpréter de façon stupide certaines réactions de Mme de Rênal. Ainsi, lorsqu'après avoir subtilisé le portrait caché par Julien, elle repousse son geste tendre sous l'effet de la jalousie, il ne voit dans son acte qu'un caprice de « femme riche ». Attentif à tout ce qui peut blesser son amour-propre, il n'essaie absolument pas d'analyser les sentiments de « l'autre », il lui attribue aussitôt comme mobile une réaction de classe. Quand, sous l'empire des remords, Mme de Rênal lui « montre une froideur glaciale », « Il se souvint du rang qu'il occupait dans la société, et surtout aux yeux d'une noble et riche héritière » (p. 97). Et de même que plus haut l'idée d'un sentiment d'infériorité éloignait sur-le-champ tout plaisir de son cœur, cette fois,

« le sourire du plaisir expira sur ses lèvres ». Symétriquement, le sentiment d'avoir gagné une victoire l'engage plus avant dans la voie d'une séduction qui présente le plaisir comme un devoir : « Cette femme ne peut plus me mépriser : dans ce cas, se dit-il, *je dois être sensible à sa beauté; je me dois à moi-même d'être son amant* » (p. 107). Le rôle de séducteur lui pèse affreusement : « Jamais il ne s'était imposé une contrainte plus pénible », et il lui faut faire appel à tout son orgueil pour trouver le courage d'entrer dans la chambre de Mme de Rênal : « Je puis être inexpérimenté et grossier comme il appartient au fils d'un paysan (...) mais du moins je ne serai pas faible » (p. 114). Il part n'ayant plus rien à désirer; mais son rendez-vous a été « une victoire mais non un plaisir ». Plus tard, la tension s'affaiblit, il est heureux, mais Stendhal insiste bien sur l'importance pour Julien du rang social de la femme aimée : « Son amour était encore de l'ambition; c'était de la joie de posséder, lui pauvre être malheureux et si méprisé, une femme aussi noble et aussi belle »; « le rang de sa maîtresse semblait l'élever au-dessus de lui-même » (p. 120).

Il y a donc une contradiction tragique dans l'amour de Julien : il aime Mme de Rênal *parce qu*'elle lui est socialement supérieure, et pourtant c'est cette différence de classe sociale qui empêche cet amour d'être complet. « Dans les premiers jours de cette vie nouvelle, il y eut des moments où lui, qui n'avait jamais été aimé de personne, trouvait un si délicieux plaisir à être sincère, qu'il était sur le point d'avouer à Mme de Rênal l'ambition qui jusqu'alors avait été l'essence même de son existence » : la sincérité parfaite serait un abandon à l'amour mais « un petit événement empêcha toute franchise » (p. 121). Songeant à son état futur, et sous le charme des « moments si doux » qu'il passe auprès de son amie, Julien se lance dans une tirade sur Napoléon « homme envoyé de Dieu pour les jeunes Français ». La réaction de Mme de Rênal l'arrête net : « Cette façon de penser lui semblait convenir à un domestique. » Il se dit : « Elle est bonne et douce, son goût pour moi est vif, mais elle a été élevée dans le camp ennemi » (p. 122). Stendhal intervient directement pour commenter l'incident : « Le bonheur de Julien fut, ce jour-là, sur le point de devenir durable. Il manqua à notre héros d'oser être sincère. Il fallait avoir le courage de livrer bataille, mais *sur-le-champ* » (p. 123). La conscience de classe est plus forte et « Julien n'osa plus rêver avec abandon ». Même au sommet de son amour, lorsqu'il est bouleversé par les sacrifices que Mme de Rênal fait pour lui et qu'il « l'adore », leur liaison ne lui apparaît pas comme l'union miraculeuse de deux individus, mais comme la conjonction extraordinaire de représentants de classes sociales disparates : « Elle a beau être noble, et moi, le fils d'un ouvrier, elle m'aime » (p. 147).

Bien sûr, les sentiments de Julien ne se bornent pas à des satisfactions d'amour-propre, mais c'est bien parce que son amour est partiellement le fait de son ambition qu'il peut reporter cette ambition sur un autre objet, et ne pas être anéanti par la séparation : « Il était fort ému. Mais à une lieue de Verrières, où il laissait tant d'amour, il ne songea plus qu'au bonheur de voir une capitale, une grande ville de guerre comme Besançon » (p. 195). La conscience de classe joue donc un rôle essentiel dans la vie sentimentale de Julien. Qu'en est-il pour Mme de Rênal ?

NAISSANCE DE Mme DE RÊNAL A L'AMOUR

Lors de leur première rencontre, le contraste entre l'aspect de Julien et celui du vieil abbé crasseux qu'elle attendait est tel qu'il annihile le sens des convenances : « Ils étaient fort près l'un de l'autre à se regarder » et c'est seulement lorsqu'elle est revenue de sa surprise que Mme de Rênal « fut étonnée de se trouver ainsi à la porte de sa maison avec ce jeune homme presque *en chemise* et si près de lui » (p. 51). Égal social de Mme de Rênal, Julien eût porté l'habit et la redingote, et peut-être Stendhal n'eût-il pas écrit que « de sa vie une sensation purement agréable n'avait aussi profondément ému Mme de Rênal ». Il est précisé plus loin qu'elle se figure tous les hommes sur le modèle de son mari, de M. Valenod et du sous-préfet de Maugiron : « La grossièreté, et la plus brutale insensibilité à tout ce qui n'était pas intérêt d'argent, de préséance ou de croix; la haine aveugle pour tout raisonnement qui les contrariait lui parurent des choses naturelles à ce sexe, comme porter des bottes et un chapeau de feutre » (p. 62). Julien lui apparaît comme doublement étranger au monde des hommes qu'elle connaît, par sa jeunesse et par son origine sociale. Quoiqu'elle ait été « frappée de l'extrême beauté de Julien », elle ne s'en effraie pas, parce que l'idée d'amour est en dehors du champ de sa conscience. L'infériorité sociale de Julien souligne sa jeunesse, rassure la timidité de Mme de Rênal, et permet à son amour de naître inconsciemment sous le nom fictif de tendresse maternelle : « Il y avait des jours où elle avait l'illusion de l'aimer comme son enfant. Sans cesse n'avait-elle pas à répondre sur mille choses simples qu'un *enfant bien né* n'ignore pas à quinze ans ? » (p. 126). Julien est d'autant plus stupide de craindre le mépris de son amie que leur différence de classe sert leur amour : « C'était précisément *comme jeune ouvrier*, rougissant jusqu'au blanc des yeux, arrêté à la porte de la maison et n'osant sonner, que Mme de Rênal se le figurait avec le plus de charme » (p. 107). Tout en faisant son éducation, en l'initiant aux rouages de la société, Mme de Rênal admire Julien, et naïvement prisonnière des conceptions de sa classe, rêve même de le gagner à la bonne cause : « Elle le voyait pape ; elle le voyait premier ministre comme Richelieu. - Vivrai-je assez pour te voir dans ta gloire ? disait-elle à Julien, la place est faite pour un grand homme ; la monarchie, la religion en ont besoin » (p. 126). Mais l'humble origine de Julien n'a fait que favoriser la naissance de l'amour chez Mme de Rênal. La tendresse protectrice devient une passion absolue, et arrache complètement Mme de Rênal à la morale de sa classe.

LA CONQUÊTE DE MATHILDE, TRIOMPHE SOCIAL

Contrairement à la rencontre de Julien et de Mme de Rênal, riche d'émotions et de sensations qui préludent à leur liaison, la première entrevue de Julien et de Mathilde de La Mole est parfaitement froide : « Il aperçut une jeune personne, extrêmement blonde et fort bien faite, qui vint s'asseoir vis-à-vis de lui. Elle ne lui plut point » (p. 290), impression confirmée quelques chapitres plus loin : « Que cette grande fille me déplaît ! pensa-t-il en regardant marcher Mlle de La

Mole » (p. 332). Air masculin, hautain, regard froid, voix sèche et mordante, toute la personne de Mathilde proclame sa supériorité sociale, et glace Julien. Au bal du duc de Retz, entendant des compliments dithyrambiques sur la « reine du bal », il s'étonne que Mathilde soit aux yeux des autres une beauté séduisante, et décide de revenir sur son impression spontanée : « Puisqu'elle passe pour si remarquable aux yeux de ces poupées, elle vaut la peine que je l'étudie » (p. 334). C'est donc par la réflexion qu'il se convainc du charme de Mathilde ; et plus tard, leurs relations amoureuses lui donnent surtout des jouissances de vanité : « Cet amour n'était fondé que sur la rare beauté de Mathilde, ou plutôt sur ses façons de reine et sa toilette admirable. En cela Julien était encore un *parvenu* » (p. 371). Seul le rang social de Mathilde pousse Julien à cette liaison, qu'il voit dès le début comme un « commerce armé ». Se souvenant d'un mot du duc de Chaulnes qui le classe parmi les « domestiques », il se dit « avec des regards de tigre » : « Eh bien, elle est jolie (...). Je l'aurai, je m'en irai ensuite, et malheur à qui me troublera dans ma fuite ! » (p. 358).

Le « plébéien révolté » engage la bataille avec la jeune aristocrate : d'où la fréquence comique des métaphores militaires dans le discours intérieur de Julien lorsqu'il pense à Mathilde. « Dans la bataille qui se prépare, l'orgueil de la naissance sera comme une colline élevée, formant position militaire entre elle et moi. C'est là-dessus qu'il faut manœuvrer » (p. 384). « Le bonheur qui, de temps à autre, venait occuper son âme, était comme celui d'un jeune sous-lieutenant qui, à la suite de quelque action étonnante, vient d'être nommé colonel d'emblée par le général en chef » (p. 398). « Il se compara à un général qui vient de gagner à demi une grande bataille » (p. 486), et il se jette dans la lecture du *Mémorial de Sainte-Hélène*, pour se guider dans sa vie amoureuse ! Lorsque, craignant un traquenard, il fait copier la lettre de rendez-vous de Mathilde, il s'écrie : « Aux armes. » Il est « l'homme malheureux en guerre avec toute la société » et cette société s'incarne en Mathilde de La Mole.

Être aimé de Mathilde, c'est se hisser magiquement au rang des grands seigneurs qui l'éblouissent, malgré le mépris qu'il s'imagine éprouver à leur égard : *Enfin, moi, pauvre paysan*, j'ai donc une déclaration d'amour d'une

grande dame. » « Je l'emporte sur le marquis de Croisenois. »
Julien erre dans le jardin, fou de bonheur : « Oui, se disait-il
avec une volupté infinie et en parlant lentement, nos mérites
au marquis et à moi ont été pesés, et le pauvre charpentier
du Jura l'emporte... » (pp. 375 à 377). Julien éprouve un
triple désir : il est fasciné par M. de Croisenois, en qui il
voit toutes les qualités qui lui manquent personnellement,
l'esprit d'à-propos, la naissance, la fortune. M. de Croisenois
aime Mathilde. Julien copie les désirs de son rival, s'assimilant
à lui. Le plaisir de posséder Mathilde est « le divin plaisir de
(se) voir sacrifier le marquis de Croisenois, le fils d'un duc,
et qui sera duc lui-même » (p. 387). La jouissance de vanité
est beaucoup plus forte que lors de la liaison avec
Mme de Rênal, parce que Mathilde est d'un rang très supérieur, et que les rivaux supplantés sont donc infiniment
plus prestigieux : « Mme de Rênal n'avait pas de marquis de Croisenois à lui sacrifier. Il n'avait pour rival que
cet ignoble sous-préfet, M. Charcot. » Le désir qu'il éprouve
pour Mathilde est donc essentiellement inauthentique.
Elle n'apparaît désirable que parce que *les autres* la désirent,
sa possession n'est un plaisir que parce qu'elle est un triomphe
sur « ces autres » qui ont sur lui tous les avantages de la naissance et de la fortune. Elle lui permet d'avoir de lui-même
une image flatteuse. D'où l'auto-destruction totale à laquelle
le poussent les froideurs et les mépris de Mathilde. Loin de
se rebeller contre la condamnation qu'elle porte sur sa personne, il y souscrit avec un masochisme délirant : « Elle avait
connu son peu de mérite ! Et en effet, j'en ai bien peu ! se
disait Julien avec pleine conviction » (p. 415). « Cette âme
si ferme était enfin bouleversée de fond en comble. » Il ne
s'agit pas d'un désespoir d'amour. Julien avait cristallisé
sur Mathilde tous ses rêves de succès, et sans la caution
de cet amour, il ressent à nouveau son néant social qu'il
assimile à un néant de tout son être : « Le dégoût de soi-même
ne peut aller plus loin » (p. 452). Tiré du désespoir par
le prince Korasoff, véritable professionnel de la séduction,
il applique le plan de bataille que ce dernier lui transmet,
et reconquiert, avec Mathilde, sa confiance en lui et son
énergie. Bien entendu, « ce bonheur était plus d'orgueil
que d'amour » (p. 487); pensant avoir dans ses bras une
reine, il se sent roi lui-même.

LA PASSION DE MATHILDE,
DÉCISION INTELLECTUELLE
ET BRAVADE SOCIALE

L'amour de Mathilde pour Julien n'est pas plus pur.

Stendhal nous la présente comme une jeune personne en tous points favorisée par le destin, et qui s'ennuie mortellement dans son milieu : « Que pouvait-elle désirer ? La fortune, la haute naissance, l'esprit, la beauté à ce qu'on disait, et à ce qu'elle croyait, tout avait été accumulé sur elle par les mains du hasard » (p. 361). Sa vie semble toute tracée : épouser Croisenois, « chef-d'œuvre de l'éducation de ce siècle », être la reine des bals. Quel projet faire, quand on possède déjà tout ? Aussi Mathilde s'ennuie-t-elle non seulement dans sa vie actuelle, mais « en espoir ». En fait, son caractère rappelle en bien des points celui de Julien. Comme lui, elle rêve de courage, de gloire militaire : « S'exposer au danger élève l'âme et la sauve de l'ennui où mes pauvres adorateurs semblent plongés » (p. 361). Comme lui, elle admire par-dessus tout l'énergie individuelle. Les circonstances historiques ne lui permettant pas de conspirer, ou de « mener un roi homme de cœur à la reconquête de son royaume », elle transporte dans le domaine de l'amour ses rêves d'action « audacieux et superbes ». « Mon bonheur sera digne de moi (...). Il y a déjà de la grandeur et de l'audace à oser aimer un homme placé si loin de moi par sa position sociale » (p. 363). C'est parce que Julien lui est socialement très inférieur qu'elle le choisit. Son origine, son éducation lui confèrent une sorte d'exotisme et surtout mettent d'emblée leurs relations hors du commun. « Tout doit être singulier dans le sort d'une fille comme moi. » Il faut que Julien soit non seulement pauvre mais roturier : plus grande est la distance qui les sépare, plus extraordinaire sera la liaison de Mlle de La Mole avec Julien. « Si, avec sa pauvreté, Julien était noble, mon amour ne serait qu'une sottise vulgaire, une mésalliance plate ; je n'en voudrais pas ; il n'aurait point ce qui caractérise les grandes passions : l'immensité de la difficulté à vaincre et la noire incertitude de l'événement » (p. 364). La distance sociale remplace les murs du couvent ou le meurtre d'un père. Semblable aux Précieuses ridicules récitant à Gorgibus les règles de l'Amour, Mathilde se donne comme modèle les descriptions de passion qu'elle a lues dans *Manon Lescaut, La Nouvelle Héloïse*, les *Lettres d'une religieuse portugaise*, etc... « Il n'était question, bien entendu, que de la grande passion (...). Elle ne donnait le nom d'amour qu'à ce sentiment héroïque que l'on rencontrait en France du temps de Henri III et de Bassompierre » (p. 362). Son « amour » est donc le fruit d'une décision intellectuelle : « Une *idée* l'illumina tout à coup : j'ai le bonheur d'aimer »; cet amour chasse l'ennui, a la saveur du fruit défendu, et la place définitivement hors de « l'ornière tracée par le vulgaire ». Bref, Mathilde qui ne rêve que « d'exciter continuellement l'attention », de ne pas passer « inaperçue dans la vie », s'est donné un amour qui la singularise et qui, s'il y a une révolution, lui assurera un grand rôle.

Mais la révolution ne vient pas. Mathilde, dans l'impossibilité de faire éclater la grandeur de son geste et sûre d'être aimée de Julien, le méprise parfaitement. Elle qui se voulait au-dessus de sa classe cède aux préjugés les plus communs, et l'origine sociale de Julien, qui l'avait fait distinguer au départ, lui apparaît brusquement comme une tare honteuse : « Elle était en quelque sorte anéantie par l'affreuse idée d'avoir donné des droits sur elle à un petit abbé, fils d'un paysan : « C'est à peu près comme si j'avais à me reprocher une faiblesse pour un de mes laquais » (p. 423). Pour la reconquérir, Julien est donc sans cesse obligé de prouver qu'il appartient au monde des héros, soit en menaçant de la tuer, soit en apparaissant comme un cruel séducteur (épisode de la maréchale de Fervaques). C'est entre eux le cercle infernal du mépris : s'il montre son amour, Julien est méprisé - et se méprise lui-même. S'il affecte le mépris, Mathilde cesse de le considérer comme « un être inférieur dont on se fait aimer comme on veut » et quitte son attitude méprisante. Incapable de concevoir des relations égalitaires, elle s'écrie alors : « Sois mon maître », passant du sadisme au masochisme. Toute sincérité sentimentale [1] est donc exclue de cette liaison

---

1. Il n'en est pas de même de la sincérité politique : Julien qui n'avait pas eu le courage de dévoiler son bonapartisme à Mᵐᵉ de Rênal avoue son admiration pour Napoléon et son « jacobinisme » à Mathilde : cette confidence ne peut que le servir auprès de cette fille fantasque, en rébellion contre la platitude de son milieu : en effet, le mot de son frère : « Si la révolution recommence, il nous fera tous guillotiner », loin de l'effrayer, l'ancre dans sa détermination d'aimer Julien : « Ce serait un Danton! » se dit-elle avec délices.

dont la racine, chez chacun des antagonistes, est l'orgueil. Même lorsque Mathilde, à la fin du roman, parvient à « aimer réellement » Julien, selon les termes mêmes de Stendhal, elle ne peut se désintéresser de l'opinion publique, qu'elle entend fasciner par ses actions téméraires et ses gestes théâtraux. Sa relation avec Julien est donc sans cesse médiate : « Il fallait toujours l'idée d'un public et *des autres* à l'âme hautaine de Mathilde.

Au milieu de toutes ses angoisses, de toutes ses craintes pour la vie de cet amant, auquel elle ne voulait pas survivre, elle avait un besoin secret d'étonner le public par l'excès de son amour et la sublimité de ses entreprises » (p. 535). Son dernier geste lui-même - tenir sur ses genoux la tête de son amant, puis l'ensevelir de ses mains - est copié sur un illustre modèle, qui est sa référence favorite : l'histoire de Marguerite de Valois et du jeune La Mole. Ainsi, même aux instants suprêmes, Mathilde est incapable d'inspiration spontanée. Du début à la fin, son amour est sous le signe du spectaculaire et de la provocation. Et lorsque Julien est exécuté, Mathilde en est plus amoureuse que jamais parce que son crime prouve une détermination et une énergie extraordinaires, justifiant son choix initial. Il n'est plus « mon petit Julien », ce petit-bourgeois qu'elle contemplait curieusement. Sa condamnation à mort, « la seule chose qui ne s'achète pas », selon le bon mot prémonitoire de Mathilde, le distingue à jamais. En ce sens, pour Mathilde, le roman finit bien !

Le rôle que joue la conscience de classe dans la naissance et le développement du sentiment amoureux chez les héros du *Rouge* est donc essentiel. La bonne et timide Mme de Rênal ne se serait jamais prise d'affection pour Julien s'il ne lui était d'abord apparu comme un « enfant » à guider, à protéger, à éduquer, parce que sa basse naissance le laissait ignorant et dénué de tout. Loin d'être un « domaine réservé », l'amour est le champ de bataille où Julien livre son combat pour être reconnu comme un égal par celles qui lui sont socialement supérieures, et pour se venger de ceux qui le méprisent. Il est enfin le terrain privilégié où Mathilde décide de prouver qu'elle est un être extraordinaire.

6 La fin du roman

TRIOMPHE DE JULIEN

Sur la place d'armes de Strasbourg, à la tête du quinzième régiment de hussards, un des plus élégants de l'armée, caracole le chevalier de La Vernaye, monté sur le plus beau cheval de l'Alsace. Les chevaux, les uniformes, les livrées des gens de ce jeune lieutenant sont célèbres.

Qui reconnaîtrait le petit paysan en larmes sonnant à la porte de Mme de Rênal trois ans plus tôt?

De fait, Julien a parcouru un chemin immense. De charpentier, devenu précepteur, puis secrétaire particulier d'un grand seigneur, il doit sa fortune à la séduction de la fille de celui-ci : une inscription de dix mille livres de rente, puis des terres dans le Languedoc, et enfin un brevet de lieutenant de hussards et le titre de chevalier de La Vernaye. M. de La Mole, d'abord outré de la conduite de Julien, finit par se résigner au mariage de sa fille et rêve de bâtir une brillante situation à ce gendre inattendu. En fait, son intelligence et son cœur l'ont adopté; il est significatif qu'il envisage de lui faire passer sa pairie, au détriment de son fils Norbert. Julien a donc tout ce dont il rêvait au début du roman : il a troqué le triste habit noir du prêtre et du secrétaire pour l'uniforme rouge des hussards, il a conquis la femme la plus belle et la plus spirituelle, il est riche, il est quasiment l'héritier d'un pair de France. Tout ce qui rappelait son origine a été effacé : il a appris à s'habiller comme un dandy, à danser, à se battre, à monter à cheval. Le changement de nom vient consacrer cette véritable mutation du personnage. Il n'est plus Julien Sorel, fils du charpentier de Verrières, il est M. de La Vernaye, fils naturel d'un grand seigneur. La fable de son origine bâtarde, mais noble, inventée autrefois par le chevalier de Beauvoisis qui ne voulait pas avoir tiré l'épée contre un manant, a été reprise à propos par M. de La Mole, et va être accréditée par ses soins. La reconnaissance implicite de sa haute naissance est acceptée par le puissant abbé de Frilair - moyennant le règlement du procès qui l'opposait à M. de La Mole. Voici donc Julien anobli, aussi bien dans l'opinion publique que sur les papiers officiels. Mais l'essentiel est que Julien se mette à croire lui-même à cette histoire : « Serait-il bien possible que je fusse le fils naturel de quelque grand seigneur exilé dans nos montagnes par le terrible Napoléon? A chaque instant cette idée lui semblait moins improbable » (p. 510). Lui qui était animé, au début du roman, du « feu sacré avec lequel on se fait un nom » (p. 102) en accepte un tout fait du père de la jeune fille qu'il a séduite. Noble, époux d'une femme noble, il va fonder une dynastie, et se projette déjà sur l'enfant à naître - qui ne saurait être qu'un fils, puisqu'il doit être le double fortuné de Julien. En apprenant qu'il est le chevalier de La Vernaye, « sa joie fut sans bornes. On peut se la figurer par l'ambition de toute sa vie, et par la passion qu'il avait maintenant pour son fils » (p. 508). On mesure la trahison de classe de Julien : il se rêve de sang noble. Corollairement, son dieu tutélaire, son modèle, Napoléon, « l'homme envoyé de Dieu pour les jeunes Français », est devenu « ce terrible Napoléon », terme dont se servent ses ennemis, les aristocrates. Objectivement, en acceptant la mission secrète que lui confie M. de La Mole, quand il est l'émissaire de la conspiration ultra, il travaille contre les « deux cent mille jeunes gens appartenant à la petite-bourgeoisie » et désireux de sortir de leur médiocrité, dont il faisait partie autrefois. Il s'étonne que les conspirateurs ultra parlent franchement devant lui : « Comment dit-on de telles choses devant un plébéien? » (p. 444). Mais c'est que ces conspirateurs ne se trompent pas sur son appartenance sociale réelle à l'époque où ils l'utilisent dans leur complot. Il n'a plus rien du « plébéien révolté » qu'il était à dix-huit ans; insidieusement, lentement, il est devenu l'un des leurs. Et ils ont raison de lui faire confiance : il prend très au sérieux sa mission, il l'accomplit scrupuleusement. Il a fait tout son possible pour que les étrangers viennent en France restaurer dans sa pureté l'Ancien Régime, et remettre à leur place tous ces jeunes gens pauvres et trop bien éduqués qui voudraient partir à l'assaut de la société. Bref, il contribue à écraser les nouveaux Julien Sorel.

Bien entendu, ce « changement de camp » objectif s'est accompagné d'une transformation morale. On peut mettre deux scènes en parallèle. L'une se situe tout au début du roman (p. 58). Julien a du mal à contenir son indignation devant le respect dont on entoure M. Valenod : « Un homme qui évidemment a doublé et triplé sa fortune, depuis qu'il administre le bien des pauvres ! Je parierais qu'il gagne même sur les fonds destinés aux enfants trouvés, à ces pauvres dont la misère est encore plus sacrée que celle des autres ! Ah ! Monstres ! Monstres ! » Des larmes de généreuse indignation lui viennent aux yeux, il s'assimile à ces enfants trouvés. Or, dans la deuxième partie du roman, nous le voyons réclamer cette place de directeur du dépôt de mendicité pour son père, qu'il juge le plus fieffé des coquins ! Il fait également attribuer le bureau de loterie de Verrières à un vieil imbécile réactionnaire, alors qu'il avait été demandé par M. Gros, célèbre géomètre et homme généreux. Il a bien un recul devant sa propre turpitude, mais il se reprend : « Ce n'est rien, se dit-il ; il faudra en venir à bien d'autres injustices si je veux parvenir » (p. 329). Ailleurs, il conclut cyniquement qu'une position sociale plus élevée rendrait ses « coquineries » « moins ignobles ».

Ainsi donc, le lieutenant de La Vernaye n'est plus, apparemment, l'ardent Julien du début. « Mon roman est fini, et à moi seul tout le mérite » s'écrie-t-il avec orgueil (p. 508). Oui, son roman est fini, l'arriviste est « arrivé », et Stendhal aurait pu arrêter là son livre, laissant à sa brillante carrière un héros qui s'est trahi lui-même ; Julien serait un Rastignac bourgeois, *Le rouge* une sorte de leçon de cynisme.

COUP DE THÉÂTRE :
LE CRIME DE JULIEN ET SES INTERPRÉTATIONS

Or, au moment où tout est gagné, voilà que tout est perdu ! Le marquis de La Mole reçoit de Mme de Rênal une lettre dénonçant Julien comme un vil hypocrite qui cherche à « disposer du maître de la maison et de sa fortune » en séduisant femme ou fille. Furieux de cette catastrophe imprévue, qui le frappe en plein triomphe, Julien se précipite à Verrières, achète des pistolets, et en tire deux coups, à l'église, sur Mme de Rênal.

Ce brusque rebondissement de l'intrigue a déconcerté, voire indigné les critiques. « Le dénouement du *Rouge et le Noir* est bien bizarre, et, en vérité, un peu plus faux qu'il n'est permis (...) tous les personnages perdent la tête (...) Julien, l'impeccable ambitieux, l'homme de sang-froid effrayant et de volonté imperturbable, est le plus insensé de tous » écrit Faguet (*Revue des Deux-Mondes*, 1892) qui voit dans cette fin « une condamnation de l'auteur ». Léon Blum a un jugement analogue : « On ne conçoit de la part de Julien ni jalousie ni désir de vengeance » et il ne trouve qu'une explication à cette fin aberrante : Stendhal a suivi le canevas historique. Berthet, « modèle » de Julien, ayant voulu assassiner, Julien en fait autant, au détriment de la vraisemblance psychologique.

Henri Martineau, lui, prend à la lettre les mots de Faguet : « Julien est insensé » et interprète son acte comme un geste de fou. Le héros, devenu un « véritable malade », aurait agi dans un « état second ».

Louis-Martin Chauffier (*L'impérieuse vocation d'Henri Beyle in Le mot d'ordre du 20 mai 1942*) renchérit : « J'avancerais (...) que Julien n'aurait pas tiré du tout si Stendhal ne l'avait traîné de force à travers la moitié de la France, ne lui avait mis l'arme en main, n'avait lui-même appuyé sur la gâchette. Dans toute cette affaire, il n'y a qu'un assassin responsable, c'est l'auteur. C'est lui qui dicte à Mme de Rênal sa lettre incroyable, qui fait accomplir à cet ambitieux enfin parvenu, non à la réussite, mais sur le seuil grand ouvert de la réussite, un voyage de deux longs jours et quarante petites lignes pour exécuter un geste insensé, qui lui ôte d'abord l'esprit puis le conduit au supplice. Crime avec préméditation, et dont le mobile apparaît clairement : Stendhal voulait tuer M. le lieutenant Julien Sorel de La Vernaye parce qu'il ne savait plus qu'en faire. »

Somme toute, Julien est devenu fou, et sa folie permet à Stendhal de le transformer en meurtrier, et de l'envoyer à la guillotine, solution pour se débarrasser d'un héros désormais importun.

Toutes ces analyses se fondent sur un même principe : Stendhal manque d'art. Il était à bout d'imagination, la fin du roman est une corvée expédiée vaille que vaille.

L'explication de P.-G. Castex a le mérite de prendre l'écrivain au sérieux, et de donner un sens à cette fin étonnante. Après avoir réfuté la thèse de la folie, par une analyse détaillée du texte de Stendhal, il place cet acte dans une perspective parfaitement logique : brutalement déçu au moment de son triomphe, cet ambitieux ne s'avoue pas vaincu et, montrant une fois de plus la force de caractère déployée dans tout le roman, il se venge, sur la personne de Mme de Rênal, de l'aristocratie qui le « barre ». Son crime consacre sa victoire, en dépit de l'échec social qui l'a commandé. Son orgueil a le dernier mot. Par son énergie lucide, il se montre d'une « trempe égale à celle des aristocratiques héros des futures *Chroniques italiennes* [1] ». Comme eux il s'accomplit dans son crime, sans lequel il ne serait plus qu'un raté. Julien, ému en revoyant le visage aimé de Mme de Rênal, ne trouve la force de tirer que parce qu'il fait de ce meurtre un *devoir* absolu. Il est ainsi parfaitement fidèle à lui-même.

A un niveau plus profond, l'acte de Julien peut recevoir une autre interprétation. Mme de Rênal a tracé de lui un portrait ignoble : « Pauvre et avide, c'est à l'aide de l'hypocrisie la plus consommée, et par la séduction d'une femme faible et malheureuse, que cet homme a cherché à se faire un état et à devenir quelque chose... » (p. 513). Or ce portrait, vu *de l'extérieur*, est parfaitement juste : Julien a séduit Mme de Rênal, et c'est la conquête de Mathilde qui lui a donné fortune et noblesse. *Seul* Julien sait que ce portrait est faux : devenir l'amant de Mme de Rênal le vengeait des nobles qui le regardaient avec un sourire protecteur à son bout de table, devenir l'amant de Mathilde était un succès remporté sur tous les jeunes gens de l'aristocratie.

Mais Julien n'est pas le *Paysan parvenu*, jamais il n'a voulu tirer de profits matériels de ses conquêtes. Loin de s'inscrire dans une stratégie sociale, elles restaient des triomphes purement psychologiques. Comme il le disait lui-même de Mathilde : « Je l'aurai, je m'en irai ensuite. » Cette caricature déshonorante, ce miroir déformant que lui impose Mme de Rênal, il importe de les détruire, et sur-le-champ. Il se débarrasse de l'image odieuse qu'on voulait lui imposer, et il affronte ouvertement la société : « J'ai été offensé d'une

---

1. Castex, « *Le rouge et le noir* » de Stendhal, p. 319, Sedes, 1967.

manière atroce; j'ai tué, je mérite la mort, mais voilà tout. Je meurs après avoir soldé mon compte envers l'humanité » (p. 518). Son acte lui permet de conserver son honneur et sa propre estime. Comme il le dit un peu plus loin : « Que me restera-t-il si je me méprise moi-même ? » (p. 573). L'essentiel n'est d'ailleurs pas le crime - question qu'il règle en deux mots : « Mon crime est atroce et il fut *prémédité*. J'ai donc mérité la mort, messieurs les jurés » - mais la vision beaucoup plus large qu'il donne de sa vie au tribunal : « Vous voyez en moi un paysan qui s'est révolté contre la bassesse de sa fortune. » Il place donc lui-même son crime dans une perspective de lutte sociale, plus précisément de lutte des classes : « Je n'ai point l'honneur d'appartenir à votre classe. »

Il interprète à l'avance le verdict des jurés qui voudront, non pas punir un assassin, mais à travers lui « décourager à jamais cette classe de jeunes gens qui, nés dans une classe inférieure et en quelque sorte opprimés par la pauvreté, ont le bonheur de se procurer une bonne éducation et l'audace de se mêler à ce que l'orgueil des gens riches appelle la société » (p. 548). Il n'y a pas de justice, il n'y a qu'une justice de classe, rendue par les « bourgeois indignés ». De même qu'il n'y a pas de droit naturel. La loi est faite par les puissants ; la société n'a aucun fondement moral, elle n'est que rapports de force : « Les gens qu'on honore ne sont que des fripons qui ont eu le bonheur de n'être pas pris en flagrant délit » (p. 566).

Ainsi, effaçant grâce à son crime sa trahison passagère, Julien redevient le « plébéien révolté » qu'il était au début. Il rejoint le camp des « contestataires » - au moins par le discours, puisque, de toute façon, il est « hors combat », emprisonné et voué à une mort très proche.

Le combat de Julien était sans issue, parce qu'il était solitaire. Un individu ne peut à lui seul transformer la société : or, à aucun moment, Julien n'essaie de faire bloc avec des compagnons, au séminaire par exemple, pour provoquer l'éclatement des structures d'une société qu'il abhorre. Son aventure individuelle ne pouvait avoir de solution heureuse : ou il échouait, et devenait un aigri, ou il « réussissait », et il était « récupéré » par la société même qu'il prétendait combattre. Le meurtre de Mme de Rênal et son discours au tribunal le sauvent in extremis d'une réussite-reniement.

QUI PERD GAGNE

La fin du *Rouge* est en fait construite sur un double coup de théâtre : en un premier temps, le héros, qui triomphait, est précipité du haut de son succès. En un second temps, au moment où il semble avoir tout perdu, où *socialement* il a de fait tout perdu, il s'aperçoit qu'il a tout gagné. Mais sur un autre plan. Isolé dans sa prison, Julien rentre en lui-même. Il y fait des découvertes « étonnantes » : « Je croyais que par sa lettre à M. de La Mole (Mme de Rênal) avait détruit à jamais mon bonheur à venir, et, moins de quinze jours après la date de cette lettre, je ne songe plus à tout ce qui m'occupait alors » (p. 521). Il se revoit en fringant lieutenant, avec un détachement ironique : « J'étais un grand sot à Strasbourg, ma pensée n'allait pas au-delà du collet de mon habit » (p. 524). Julien, délivré des luttes sociales, est métamorphosé : « L'ambition était morte en son cœur, une autre passion y était sortie de ses cendres ; il l'appelait le remords d'avoir assassiné Mme de Rênal. Dans le fait, il en était éperdument amoureux » (p. 536).

Julien entre dans le règne de l'authentique : revoyant son détestable père, pas un instant il ne doute d'être son fils. Son amour pour Mathilde, si mêlé d'ambition, de revanche sociale, a disparu. Du fils qu'il attend d'elle, et dont il faisait sa consécration sociale, il transfère moralement la maternité à Mme de Rênal : « Mettez votre enfant en nourrice à Verrières. Mme de Rênal surveillera la nourrice » (p. 537). Tout lui apparaît dans une lumière nouvelle. Il trouve un bonheur singulier « à se livrer tout entier au souvenir des journées heureuses qu'il avait passées jadis à Verrières ou à Vergy ». Il avait gâché son amour par « la sotte idée d'être regardé comme un amant subalterne, à cause de sa naissance obscure » (p. 119). Désormais, puisqu'il a « réglé son compte » à la société, livré publiquement son combat social, il peut laisser son cœur le guider dans le domaine sentimental. Purifié de ses complexes, de ses rancœurs, il voit clair, et reconnaît l'amour véritable dans le lien qui l'a uni à Mme de Rênal. « Ai-je beaucoup aimé ? Ah ! j'ai aimé Mme de Rênal », et quand il la retrouve enfin dans sa prison, « fou d'amour », il a ce cri du cœur : « Sache que je t'ai toujours aimée, que je n'ai jamais aimé que toi » (p. 557).

Dans sa prison, Julien est à la fois en dehors de l'espace social et en dehors du temps. Libéré des projets, il peut enfin jouir du présent. Avec une parfaite lucidité, il analyse son passé avec Mme de Rênal : « Autrefois, quand j'aurais pu être si heureux pendant nos promenades dans les bois de Vergy, une ambition fougueuse entraînait mon âme dans les pays imaginaires. Au lieu de serrer contre mon cœur ce bras charmant qui était si près de mes lèvres, l'avenir m'enlevait à toi ; j'étais aux innombrables combats que j'aurais à soutenir pour bâtir une fortune colossale » (p. 572). Ambition, avenir, combats, telle était la thématique de Julien : maintenant, il pense en termes d'amour et de bonheur : « L'homme a deux êtres en lui » constate-t-il. Chez lui, l'ambitieux étouffait le sentimental. Par un beau paradoxe, emprisonné, le voilà libre. Il n'a plus besoin de se fixer des obligations toujours contraires à ses impulsions, plus besoin d'oser des gestes qu'il ne désire pas, ni de retenir ceux qu'il désire. « La main de fer du devoir », selon sa propre expression, a lâché prise, le laissant libre de choisir le bonheur. Il était sans cesse tendu vers l'accomplissement d'un projet, il glisse dans une vie « pleine d'incurie et de rêves tendres ». Quand on cherche à lui faire faire quelque démarche pour éviter la condamnation à mort, à le réintégrer, somme toute, dans le réel, il refuse avec horreur : « Laissez-moi ma vie idéale. Vos petites tracasseries, vos détails de la vie réelle, plus ou moins froissants pour moi, me tireraient du ciel. » Il s'étonne lui-même : « Il est singulier pourtant que je n'aie connu l'art de jouir de la vie que depuis que j'en vois le terme si près de moi » (p. 540). Pas singulier du tout : seul ce terme proche, en l'arrachant à la société, le rend à lui-même. Il a poursuivi sans relâche pendant presque quatre ans un but dont il comprend à la fin l'inanité. Il dilate à l'infini par la profondeur du bonheur le petit nombre de jours qu'il lui reste à vivre : « Ne pouvons-nous pas passer deux mois ensemble d'une manière délicieuse ? Deux mois, c'est bien des jours. Jamais je n'aurai été aussi heureux » (p. 559). Presque la « petite seconde d'éternité » de Prévert. En même temps qu'à l'amour, il s'abandonne aux sensations : « Marcher au grand air fut pour lui une sensation délicieuse. » Autrefois sa « noire ambition » le distrayait des plaisirs que donne la contemplation d'un paysage. Ce n'est pas qu'il manquât de sensibilité naturelle : à plusieurs reprises, Stendhal le montre attentif au paysage, mais il souligne en même temps que son ambition fait écran entre le monde et lui. Ainsi, partant dans les bois après avoir triomphé de M. de Rênal : « Il fut *presque* sensible... à la beauté ravissante des bois au milieu desquels il marchait » (p. 89), il ne s'accorde ce loisir que comme une récompense, et encore, imparfaitement. De même, quand il oublie fugitivement son obsessionnel « devoir », il s'ouvre au monde des choses. Tenant la main de Mme de Rênal, perdu dans « une rêverie vague et douce... il écoutait à demi le mouvement des feuilles du tilleul agitées par ce léger vent de la nuit, et les chiens du moulin du Doubs qui aboyaient dans le lointain » (p. 93). Il devenait sensible en même temps aux charmes de Mme de Rênal et à ceux de la nature. Il est donc normal que, rendu à l'amour, il le soit aussi au monde, au moment même où il va le quitter. « Jamais cette tête n'avait été aussi poétique qu'au moment où elle allait tomber. Les plus doux moments qu'il avait trouvés jadis dans les bois de Vergy revenaient en foule à sa pensée et avec une extrême énergie » (p. 574).

Il meurt réconcilié avec lui-même, et c'est sur ces réminiscences heureuses que Julien nous quitte. A la phrase suivante, en effet, il n'est déjà plus là : « Tout se passa simplement, convenablement, et de sa part sans aucune affectation » (p. 574). Ce « tout » vague escamote l'exécution, empêche le « retour aux détails de la vie réelle » que redoutait Julien, et constitue, comme le dit Jean Prévost, un cas « d'euthanasie littéraire ». Elle est l'équivalent stylistique de la mort dans le destin de Julien, qui, en dénouant ses contradictions, lui avait permis, dans ses derniers mois, d'accéder enfin au bonheur.

Le travail de la forme chez Stendhal | 7

COHÉRENCE ET CLASSICISME

De même qu'on pourrait assimiler idéologiquement Stendhal à un Jacobin du XVIIIᵉ siècle, teinté d'aristocratisme, on pourrait rapprocher son style de celui des philosophes du siècle des lumières et notamment de Montesquieu [1]. Contre les recherches formelles de ses contemporains, il prône l'emploi d'une expression classique : « Soyons classiques dans les expressions et les tours [2]. » Il s'insurge violemment contre Chateaubriand : « Le beau style de M. de Chateaubriand me sembla ridicule dès 1802. Ce style me semble dire une quantité de petites faussetés [3]. »

Il adresse les mêmes reproches à J.-J. Rousseau et à George Sand. Pour lui, la forme doit être seconde par rapport à l'idée, se mettre à son service et, à cette fin, être l'outil le plus docile, le moins voyant possible. La forme doit faire corps avec l'idée, éviter la gratuité ornementale. Le danger pour l'écrivain serait de s'abandonner à une forme lourde et opaque : « Le meilleur (style) est celui qui se fait oublier et laisse voir le plus clairement les pensées qu'il énonce [4]. » « Je ne vois qu'une règle : le style ne saurait être trop *clair*, trop simple [5]. »

Son modèle est le bonapartisme et le *Code civil*, aboutissement de la prose française du XVIIIᵉ siècle. Comme sur le

---

1. « Deux seuls livres me donnent l'impression du *bien écrit : Les dialogues des morts* de Fénelon, et Montesquieu. » *Lettre à Balzac* du 16 octobre 1840.
2. *Racine et Shakespeare*, X, 7.
3. *Lettre à Balzac* du 16 octobre 1840. Dans le *New Monthly Magazine* (1ᵉʳ juin 1825), il écrit encore : « Le meilleur des écrivains en prose est, croyons-nous, l'hypocrite le plus consommé de France. »
4. STENDHAL, *Mémoires d'un touriste*, Toulon, 1837.
5. STENDHAL, *Lettre à Balzac*, 16 octobre 1840.

plan des idées, il y a chez Stendhal refus d'un style fondé sur l'emphase, la fausseté, l'hypocrisie. Cette attitude s'inscrit encore dans la continuation du XVIIIᵉ siècle, période durant laquelle l'expression se révèle une arme, instrument de dialogue ou de satire, où tout est rationnel, clair, à la taille de l'homme.

Tout au long du XIXᵉ siècle, l'expression va au contraire cesser d'être transparente pour devenir un obstacle à l'expression, une fin en soi, une recherche autonome :

« La forme littéraire développe un pouvoir second, indépendant de son économie (...); elle fascine, elle dépayse, elle enchante, elle a un poids ; on ne sent plus la littérature comme un mode de circulation socialement privilégié, mais comme un langage consistant, profond, plein de secrets (...). Tout le XIXᵉ siècle a vu progresser ce phénomène de concrétion. Chez Chateaubriand, ce n'est encore qu'un faible dépôt [1]... »

C'est contre cette tendance que Stendhal veut lutter. Sa langue, sur plusieurs points, continue celle du XVIIIᵉ siècle : sobre, peu descriptive, utilisant des tours allusifs, des ellipses, préférant aux articulations logiques la juxtaposition des éléments de la phrase. Ses descriptions des lieux et des personnages sont souvent rapides, rarement pittoresques.

Doit-on attribuer cette apparente pauvreté à une incapacité ou à un parti pris délibéré ?

STENDHAL ET LE RÉALISME

Le refus du réalisme photographique

Stendhal écarte la description pour elle-même, le tableau pittoresque en soi.

Toute réalité n'est pas nécessairement intéressante et le rôle de l'écrivain consiste à choisir ce qui est significatif. Il ne s'agit pas de donner une « photographie » de la réalité, de l'inventorier dans ses moindres détails, mais bien de l'interpréter pour en dégager les lignes de force.

« On arrive à la petitesse dans les arts par l'abondance des détails et le soin qu'on leur donne [2]. »

1. ROLAND BARTHES, *Le degré zéro de l'écriture*, pp. 10-11, Seuil.
2. STENDHAL, *Rome Naples et Florence*, I, p. 67, cité par GEORGES BLIN, *Stendhal et les problèmes du roman*, p. 32, Corti, 1953.

On ne trouvera donc pas, chez Stendhal, de grands tableaux exhaustifs, campant longuement le décor de l'action comme chez Balzac. Doit-on pour autant affirmer qu'il n'y a pas entre le milieu et les personnages de relation directe de causalité et que, comme le dit M. Blin, « il ne détermine pas, ne résout pas le personnage de l'extérieur comme Zola [1] » ?

Certes, le milieu ne sécrète pas mécaniquement et fatalement l'individu, mais le cadre que Stendhal donne à ses personnages est toujours chargé de signification, aide à comprendre les protagonistes. Ainsi la description de Verrières sur le plan économique, géographique, social, politique, explique les mœurs et la psychologie de ses habitants. Plutôt que la description scrupuleuse d'une ville de province comme l'aurait fait Balzac, Stendhal préfère mettre en lumière les lignes dominantes des milieux décrits, la loi générale, le *typique* [2] plutôt que l'anecdotique (cf. les titres de ses chapitres : une petite ville, un maire, etc.), le tissu des relations sociales qu'on trouve en général dans une ville de province sous la Restauration.

Cependant Stendhal ne se contente pas d'une esquisse théorique. Il a besoin pour ancrer son roman dans l'histoire de ce qu'il appelle des « petits faits vrais » empruntés à l'actualité, qui donnent l'impression du vécu. Mais ces faits ne sont pas choisis arbitrairement, ils viennent corroborer une thèse, et tisser naturellement la chronique d'une petite ville de province : la visite du roi à Verrières, la cérémonie de Bray-le-Haut, l'adjudication de la maison à Saint-Giraud, etc.

Un « réalisme subjectif [3] »

En fait, si Stendhal élimine la vision panoramique d'un témoin idéal, c'est que la réalité n'est jamais perçue qu'à travers la personnalité de ses protagonistes, et essentiellement de Julien.

Durant presque tout le roman, nous découvrons le monde *avec* lui, progressivement, en même temps que lui, et nous n'en percevons que ce qu'il en retient : « Ce n'est

---

1. GEORGES BLIN, *op. cit.*, p. 45.
2. « Verrières, dans ce livre, est un lieu imaginaire que l'auteur a choisi comme le type des villes de province. » Stendhal, *Lettre au comte Salvagnoli.*
3. Cette expression, comme beaucoup d'autres par la suite, est empruntée au livre de Georges Blin, *Stendhal et les problèmes du roman.*

point en abstrayant l'intentionnalité du héros mais à travers celle-ci, qu'il fait surgir le détail concret susceptible de nous reporter à l'unisson de l'instant [1]. »

Le monde n'existe pas quand Julien ne le regarde pas, les personnages s'évanouissent lorsque Julien les élimine de son champ mental (la maréchale de Fervaques disparaît brusquement dès lors que Julien cesse de s'y intéresser). Et quand Julien ne comprend pas une situation (la mise en scène de l'évêque d'Agde) ou qu'il ne saisit qu'une partie de la réalité (la réunion de la Note Secrète), nous n'en savons pas plus que lui.

Aussi les modes d'appréhension du monde dans le livre seront ceux de Julien; on peut en relever au moins deux.

• Le style des Lettres persanes ou de L'ingénu

Souvent, comme on l'a vu antérieurement, Julien est une espèce d'étranger qui perçoit les choses naïvement, sans y reconnaître les significations sociales, les codes, les convenances. Il découvre de l'extérieur un monde qui semble absurde, théâtral, sans causalité. On retrouve là par excellence le procédé des philosophes du XVIIIe siècle qui aboutit à une satire pénétrante des institutions en place. Ce regard ironique jeté sur la société est utilisé fréquemment dans Le rouge, la cérémonie de Bray-le-Haut, la soirée chez Valenod, les soirées des salons parisiens, les séances de la Note Secrète, les séances du Tribunal à la fin du livre. Voici, par exemple, la préparation de l'évêque d'Agde avant la cérémonie : « Un jeune homme, en robe violette et en surplis de dentelle, mais la tête nue, était arrêté à trois pas de la glace. Ce meuble semblait étrange en un tel lieu, et, sans doute, y avait été apporté de la ville. Julien trouva que le jeune homme avait l'air irrité; de la main droite il donnait gravement des bénédictions du côté du miroir.

Que peut signifier ceci ? pensa-t-il. Est-ce une cérémonie préparatoire qu'accomplit ce jeune prêtre ? C'est peut-être le secrétaire de l'évêque... il sera insolent comme les laquais... ma foi, n'importe, essayons.

Il avança et parcourut assez lentement la longueur de

1. GEORGES BLIN, op. cit., p. 100. Et plus loin (p. 109) : « Il refuse d'outrepasser l'affective saisie intentionnelle de l'intéressé. »

la salle, toujours la vue fixée vers l'unique fenêtre, et regardant ce jeune homme qui continuait à donner des bénédictions exécutées lentement mais en nombre infini, et sans se reposer un instant » (pp. 133-134).

Cette technique sert la démonstration de Stendhal : le geste est saisi en gros plan, vide de sens, grotesque, théâtral. Cela met en lumière la vacuité des institutions, le mécanique qui recouvre le vivant ; c'est un moyen de transformer les personnages en marionnettes, en fantoches. Comme chez Voltaire encore, l'emploi d'adverbes, souvent très longs, décrivant l'attitude des personnages de façon humoristique, est un procédé fréquent de Stendhal.

• Le style de combat

Mais une fois déchiffré, le monde est pour Julien un lieu de combat, et il l'interprète à travers ses projets. Or justement cet intellectuel a une « conscience trop étroite par rapport à la complexité du monde [1] ». Il ne regarde presque jamais ce qui l'entoure ; Stendhal présente comme exceptionnelle toute perception du paysage par Julien, qui est absorbé dans ses desseins et n'a pas un instant à perdre (cf. ses réflexions après les propositions de Fouqué : «Quoi ! je perdrais lâchement sept ou huit années ! j'arriverais ainsi à vingt-huit ans ; *mais, à cet âge, Bonaparte avait fait ses plus grandes choses* » (p. 102, souligné par nous).

Julien va donc vite ; il livre une course de vitesse continuelle avec la société. Or, selon M. Blin : « Le mouvement est incolore, le pittoresque toujours statique [2]. »

On saisit ici toute la différence avec les personnages de Flaubert, passifs, velléitaires, sans projets ; un Frédéric Moreau peut observer et décrire le monde, car il n'agit pas sur lui, il est détaché, en marge. Le monde n'étant plus saisi dans une visée peut envahir le roman, s'étaler, écraser le héros. Cela n'est pas possible pour un héros comme Julien qui essaye de calquer tous ses actes sur ceux de Napoléon. De là, la rapidité du rythme, le caractère passionné, agressif, improvisé de ce style.

1. LUCIEN GOLDMANN, *Pour une sociologie du roman*, p. 25, Idées, Seuil, 1964.
2. GEORGES BLIN, *Stendhal et les problèmes du roman*, p. 105.

Le contrepoint : les intrusions d'auteur

• Les interruptions du récit et les remarques incidentes

Ayant écrit du point de vue exclusif de Julien - fait significatif, dans ses notes, il appelle *Le rouge*, *Julien* -, Stendhal se priverait d'une vision « objective » tant du héros lui-même que des autres personnages. Aussi compense-t-il « la restriction de champ » par des intrusions fréquentes, directes, qui lui permettent soit d'ajouter un complément d'information : « Le lecteur est peut-être surpris de ce ton libre et presque amical ; nous avons oublié de dire que depuis six semaines le marquis était retenu chez lui par une attaque de goutte » (p. 321), soit de porter un jugement personnel sur son héros : « A ce coup terrible, éperdu d'amour et de malheur, Julien essaya de se justifier. Rien de plus absurde. Se justifie-t-on de déplaire ? Mais la raison n'avait plus aucun empire sur ses actions » (p. 423). « Il était encore bien jeune ; mais, suivant moi, ce fut une belle plante. Au lieu de marcher du tendre au rusé, comme la plupart des hommes, l'âge lui eût donné la bonté facile à s'attendrir, il se fût guéri d'une méfiance folle... Mais à quoi bon ces vaines prédictions ? » (p. 525).

A tout moment, au cœur même de chaque phrase, Stendhal introduit des notations personnelles : « Les libéraux de l'endroit prétendent, *mais ils exagèrent*, que la main du jardinier officiel est devenue bien plus sévère depuis que M. le vicaire Maslon a pris l'habitude de s'emparer des produits de la tonte » (p. 28).

La pointe ironique et malicieuse vient s'intercaler subrepticement et fait entendre, sans en avoir l'air, le contraire de ce qu'elle affirme.

• Le jeu sur les possibles et l'emploi du conditionnel

Victor Brombert a très justement observé combien l'intervention de l'auteur se traduisait à travers le choix des temps [1].

Si l'imparfait et le passé simple sont utilisés comme les temps habituels du récit, le conditionnel marque presque toujours la présence de Stendhal. Il permet de représenter le décalage entre l'omniscience, la lucidité de l'auteur et l'inconscience de ses personnages : aux gaucheries de ces derniers

1. Victor Brombert, *Stendhal et la voie oblique*, P.U.F., 1954.

s'opposent des conseils tactiques qui permettraient de sur-monter les difficultés : « Si au lieu de se tenir caché dans un lieu écarté, il eût erré au jardin et dans l'hôtel, de manière à se tenir à la portée des occasions, il eût peut-être en un seul instant changé en bonheur le plus vif son affreux malheur » (p. 405).

La même construction est reprise très souvent (cf. p. 407). Stendhal, à l'intérieur même de la fiction, projette d'autres fictions, s'offrant ainsi une revanche imaginaire sur la vie.

• L'auteur et ses personnages

Grâce à ces divers procédés, Stendhal critique souvent de façon ironique le caractère adolescent de ses héros et leur attitude romanesque. Selon certains critiques, il adopterait par là un point de vue rationnel et adulte, pragmatique et réaliste, motivé par sa timidité et sa pudeur.

Certes, l'appréhension du lecteur et de la censure, la crainte de paraître ridicule sont indéniables chez Stendhal, de même qu'un certain plaisir à se montrer plus lucide que ses créatures. Mais ces critiques vont de pair avec des éloges souvent très enthousiastes et sincères.

Alter ego ou tuteur, Stendhal n'est jamais un intrus parmi les héros de ses livres : « Il est à leur diapason, parce qu'il est de la même race qu'eux. Stendhal est le premier et le plus admi-rable des personnages stendhaliens [1]. »

• Un élément d'irréalisme : présages et leitmotiv

Stendhal, par effet d'art ou par volonté de composition, a semé son livre de signes prémonitoires, de présages, éléments sans doute appréciés alors mais qui nuisent à la volonté de réalisme.

Peut-être y a-t-il aussi la volonté de Stendhal de plonger ses héros dans une atmosphère de fatalité tragique ?

L'avertissement le plus spectaculaire est celui du cha-pitre 5 de la première partie lorsque Julien, se rendant à l'église de Verrières, remarque sur le prie-dieu un morceau de papier imprimé sur les « détails de l'exécution et des der-niers moments de Louis Jenrel exécuté à Besançon ». Julien

1. CLAUDE ROY, *Stendhal par lui-même*, p. 54, Seuil, 1951.

note : « Son nom finit comme le mien. » « En sortant, Julien crut voir du sang près du bénitier, c'était de l'eau bénite qu'on avait répandue : le reflet des rideaux rouges qui couvraient les fenêtres la faisait paraître du sang » (p. 48). Tout cela annonce directement le chapitre 45 de la deuxième partie [1].

De même le thème de la condamnation à mort est un véritable leitmotiv durant tout le roman : Mathilde, la première, y fait allusion : « Je ne vois que la condamnation à mort qui distingue un homme, pensa Mathilde : c'est la seule chose qui ne s'achète pas » (p. 336). Ce sujet est repris avec l'exécution en place de Grève de Boniface de La Mole le 30 avril 1574, qui prépare l'exécution de Julien ; le geste de Mathilde prolonge celui de Marguerite de Valois.

A ces divers rappels, on peut ajouter le thème de l'isolement sur un lieu élevé. C'est à « cinq ou six pieds » du sol, « à cheval sur l'une des pièces de la toiture » (p. 39) dans la scierie de son père qu'on découvre Julien pour la première fois, lisant le *Mémorial de Sainte-Hélène*. C'est encore, lors de son voyage chez son ami Fouqué, dans une grotte en haut d'une montagne que Julien éprouve le bonheur : « Julien resta dans cette grotte plus heureux qu'il ne l'avait été de la vie, agité par ses rêveries et par son bonheur de liberté » (p. 100). Enfin, c'est dans cette grotte qu'il demande à être enterré et que Mathilde célébrera la cérémonie finale.

Mais la construction relève-t-elle de Stendhal lui-même ou des héros qui mettent en scène de façon théâtrale leur propre vie, lui donnant ainsi les dimensions d'un Destin ?

LE RYTHME DANS « LE ROUGE ET LE NOIR »

C'est à travers son rythme que se retrouvent tous les éléments du style de Stendhal, ce rythme qui, pour Claude Roy, est « la vraie poésie de sa prose [2] » et que Gide qualifie en ces termes : « Ce quelque chose d'alerte et de primesautier, de discontinu, de subit et de nu qui nous ravit toujours à neuf dans son style [3]. »

---

1. Annoncé aussi par le chapitre 28 de la première partie où Mme de Rênal s'évanouit dans l'église à la vue de Julien.
2. CLAUDE ROY, *op. cit.*, p. 54.
3. ANDRÉ GIDE, *Journal*, 3 septembre 1937.

Cette allure pressée, cette accélération constante relèvent de certains choix de Stendhal déjà examinés : l'absence d'emphase et de détail ornemental; l'art de plonger le lecteur dans le présent de son héros et de ne pas lui en révéler davantage, ce qui provoque un sentiment d'improvisation et d'immédiateté; la langue de Stendhal, classique et sobre, fruit d'un long apprentissage, mais qui produit néanmoins l'effet de la transparence et de la spontanéité. « Il semble toujours qu'on surprenne sa pensée au saut du lit, avant la toilette [1]. »

L'étude de la construction de ses phrases révèle d'autres procédés : l'art de placer les mots essentiels, les formules frappantes à la fin et de laisser ainsi le lecteur sur une impression forte. On retrouve la même technique au niveau du paragraphe et de la scène.

Cela donne une sensation de densité, de concentration extrême, un refus de la complaisance dans l'émotion. « La vertu de Julien fut égale à son bonheur. Il faut que je descende par l'échelle, dit-il à Mathilde, quand il vit l'aube du jour paraître... » (p. 417); Stendhal résume ainsi la nuit passée par Julien avec Mathilde [2].

On pourrait citer de nombreuses autres scènes (le coup de pistolet, p. 514) et notamment l'exécution de Julien : « Tout se passa simplement, convenablement, et de sa part sans aucune affectation » (p. 574).

On ne saurait dire les faits plus rapidement.

Les phrases viennent se juxtaposer, se presser, sèches, cassantes : « Comme deux heures venaient de sonner, un grand mouvement se fit entendre. La petite porte de la chambre des jurés s'ouvrit. M. le baron de Valenod s'avança d'un pas grave et théâtral, il était suivi de tous les jurés. Il toussa puis déclara qu'en son âme et conscience la déclaration unanime du jury était que Julien Sorel était coupable de meurtre, et de meurtre avec préméditation : cette déclaration entraînait la peine de mort; elle fut prononcée un instant après. Julien regarda sa montre, et se souvint de M. de Lavalette; il était deux heures et un quart. C'est aujourd'hui vendredi, pensa-t-il » (pp. 549-550).

---

1. ANDRÉ GIDE, *ibid.*, 1er février 1942.
2. Et plus loin : « Elle se trouva enceinte et l'apprit avec joie à Julien » (p. 435).

Cette sobriété pathétique aboutit à un sublime vrai; en donnant des faits bruts, sans leur prolongement, Stendhal a l'art de pratiquer l'ellipse, le raccourci, la coupe brutale. Comme dans la citation précédente, on voit que Stendhal passe du récit au monologue intérieur sans transition, sans effort d'accommodation.

Il use aussi de procédés empruntés à d'autres genres que le roman :

- Les formules brèves, les personnages secondaires caricaturés, les décors rapidement esquissés, la succession accélérée de petites scènes comiques rappellent le conte voltairien : « Mathilde vit les premiers avocats du pays, qu'elle offensa en leur offrant de l'or trop crûment; mais ils finirent par accepter » (p. 529).

- Les confidents (Mme Derville, Fouqué), l'art de l'exposition puis la montée progressive de la tension qui se précipite dans le dénouement, l'emploi de dialogues rapides, véritables duels oratoires avec échange de répliques sèches, enfin la fréquence des monologues intérieurs, tout cela évoque le genre dramatique.

Mais le propre de Stendhal est justement de rassembler dans un seul mouvement, sans transition, ces éléments pour nous donner cette impression de vie débordante, prise sur le vif, dans laquelle Julien semble sans cesse improviser.

STENDHAL OU FLAUBERT?

Dans les débats théoriques actuels sur la forme romanesque, Stendhal est beaucoup moins évoqué qu'un auteur comme Flaubert [1].

En effet, Stendhal s'était fortement trompé en affirmant que « la part de la forme devient plus mince chaque jour [2] ». Après lui, les écrivains vont renoncer, les uns après les autres, à l'engagement social pour se replier dans leur « tour d'ivoire » et s'adonner à « l'art pour l'art ». Les problèmes de forme vont supplanter tous les autres pour aboutir

---

1. Au contraire, dans d'autres formes d'expression beaucoup plus tournées vers la peinture du monde actuel, telles que le reportage, l'enquête télévisée, le cinéma, les formules de Stendhal, qui lui donnent ce style rapide et discontinu, sont souvent reprises.
2. STENDHAL, *Lettre à Balzac* du 16 octobre 1840.

à la formule de Flaubert : « Ce qui me semble beau, ce que je voudrais faire, c'est un livre sur rien, un livre sans attache extérieure, qui se tiendrait de lui-même par la force interne de son style (...), un livre qui n'aurait presque pas de sujet, ou du moins où le sujet serait presque invisible, si cela se peut. Les œuvres les plus belles sont celles où il y a le moins de matière (...), le style étant à lui seul une manière absolue de voir les choses [1]... »

Flaubert donne ici une définition exactement aux antipodes de la conception stendhalienne. La situation de l'écrivain français aujourd'hui, les recherches actuelles - surtout celles du nouveau roman - s'inscrivent beaucoup plus dans la problématique de Flaubert que dans celle de Stendhal. De là, les nombreuses références au premier. Mais que, la situation de l'écrivain évoluant, il renonce à vivre en marge et s'intéresse aux problèmes de son temps, et notamment à celui du bonheur, alors la formule stendhalienne reprendra toute son actualité.

1. GUSTAVE FLAUBERT, *Lettre à Louise Colet*, 16 janvier 1852.

Conclusion

Le bonheur est-il possible ?

Le rouge et le noir est une condamnation absolue de la société française de l'époque. Paris est une « comédie perpétuelle », la « paix des champs » s'avère « un enfer d'hypocrisie et de tracasseries ». Les ultras sont prêts à écraser le peuple pour assurer leurs privilèges, les prétendus « libéraux » ne rêvent qu'à la gloire et aux centaines de mille francs gagnés par Mirabeau.

Naît-on en haut de la hiérarchie sociale ? On est une « poupée » comme Norbert.

Naît-on en bas de l'échelle ? On perd son âme à tenter de sortir de la médiocrité.

Conclusion pessimiste : le bonheur n'est pas possible dans une telle société. « N'y aura-t-il donc jamais une pauvre petite place pour le simple passager ? » (p. 274) gémit Saint-Giraud qui, semblable à Stendhal, aime la musique, la peinture, et pour qui « un bon livre est un événement ». Mais il doit reconnaître que la politique le chasse, lui qui ne voulait de sa vie entendre parler politique. La prise de conscience de ce que la société est radicalement mauvaise pourrait déboucher sur un combat pour la détruire et en construire une autre, combat qui ne saurait être que collectif. Mais Julien est trop individualiste et trop impatient pour adopter une telle attitude.

Il reste alors la possibilité d'arracher des bribes de bonheur, en marge de la société. Pour cela, encore faut-il connaître ses vrais besoins. « Tout le malheur ne vient que d'erreur [1] » dit Stendhal. Julien, qui ignorait sa véritable

1. *Correspondance*, Lettre à Pauline. Vendredi 11 mai 1804.

nature, sensible, amoureuse, a gâché les instants heureux qu'il aurait pu goûter à Vergy. Mais, à la fin du livre, à la fois définitivement à l'écart de la société et délivré de ses illusions sur le monde et sur lui-même, il trouve enfin le bonheur.

Les conditions extraordinaires qui sont réunies pour que Julien soit heureux prouvent le pessimisme de Stendhal. Mais la mort de son héros est un instant parfait : ayant eu la révélation de la beauté et de l'amour, il illustre par sa maîtrise de soi et son élégance au moment suprême les valeurs stendhaliennes.

Annexes

▶ Jugement de Stendhal sur son œuvre

Stendhal a lui-même commenté son œuvre dans un « Projet d'article sur *Le rouge et le noir* » écrit en automne 1832, et envoyé au comte Salvagnoli, avocat et écrivain florentin. Pour plus de liberté, et par un procédé très fréquent chez lui, il signait d'un pseudonyme : « D. Gruffot Papera ».

Après avoir exposé l'ennui des mœurs françaises sous la Restauration et lui avoir attribué « l'immense consommation de romans qui a lieu en France » il définit l'originalité de « M. de Stendhal ».

PREMIÈRE AUDACE : *Le rouge* décrit la société contemporaine et ne sacrifie pas à la précision anecdotique :

« Le génie de Walter Scott avait mis le moyen âge à la mode ; on était sûr du succès en employant deux pages à décrire la vue que l'on avait de la fenêtre de la chambre où était le héros ; deux autres pages à décrire son habillement, et encore deux pages à représenter la forme du fauteuil sur lequel il était posé. M. de S[tendhal], ennuyé de tout ce moyen âge, de l'*ogive* et de l'habillement du XVe siècle, osa raconter une aventure qui eut lieu en 1830 et laisser le lecteur dans une ignorance complète sur la forme de la robe que portent Mme de Rênal et Mlle de La Mole, ses deux héroïnes, car ce roman en a deux, contre toutes les règles suivies jusqu'ici. »

DEUXIÈME AUDACE : le roman décrit les formes aberrantes que revêt l'amour dans la société parisienne de l'époque et, d'une façon plus générale, fait le portrait de la « France morale » de 1830.

« L'auteur a osé bien plus, il a osé peindre le caractère de la femme de Paris qui n'aime son amant qu'autant *qu'elle se croit tous les matins sur le point de le perdre*.

Tel est l'effet produit par l'immense vanité qui est devenue à peu près la seule passion de cette ville où l'on a tant d'esprit. Ailleurs, un amant peut se faire aimer en protestant de l'ardeur de sa passion, de sa fidélité, etc., etc., et en prouvant à sa belle ces louables qualités. A Paris, plus il persuade qu'il est fixé à jamais, qu'il *adore*, plus il se ruine dans l'esprit de sa maîtresse. Voilà une chose que les Allemands ne croiront jamais, mais j'ai bien peur cependant que M. de S[tendhal] n'ait été peintre fidèle.

La vie des Allemands est *contemplative* et *imaginative*, celle des Français est toute de vanité et d'activité.

La morale, exécrable aux yeux des belles, qui résulte du livre de M. de S[tendhal] est celle-ci :

Jeunes hommes qui voulez être aimés dans une civilisation où la vanité est devenue sinon la passion, du moins le sentiment de tous les instants, chaque matin persuadez avec politesse la femme qui la veille était votre maîtresse adorée, que vous êtes sur le point de la quitter.

Ce nouveau système, s'il prend jamais, va renouveler tout le dialogue de l'amour. En général, jusqu'au moment de la prétendue découverte de M. de S[tendhal], quand un amant ne savait que dire à sa belle, quand il était sur le point de s'ennuyer, il se rejetait vivement dans la protestation des sentiments les plus vifs, dans l'*extase*, dans les transports du bonheur, etc. M. de S[tendhal] arrive avec ses deux volumes amusants pour démontrer aux pauvres amants que ces propos, qu'ils croyaient sans conséquence, *sont leur ruine*. Suivant cet auteur, quand un amant s'ennuie auprès de sa maîtresse, ce qui, à toute force, peut arriver quelquefois dans ce siècle si moral, si hypocrite, et par conséquent si ennuyeux, ce qu'il y a de mieux à faire, c'est tout simplement de ne pas nier son ennui. C'est un accident, c'est un malheur tout comme un autre. Ceci paraîtra tout simple à notre Italie, le *naturel* dans les façons, dans les discours, y étant le *beau idéal;* mais en France, pays plus affecté, ce sera une grande innovation.

Le naturel dans les façons, dans les discours est le beau idéal auquel M. de S[tendhal] revient dans toutes les scènes importantes de son roman et il y en a de terribles à en juger seulement par la vignette que le libraire Levavasseur, fidèle à la mode, a placée sur la couverture enjolivée de son livre : on y voit l'héroïne, Mlle de La Mole, qui tient entre ses bras la tête de son amant que l'on vient de couper. Mais avant d'arriver à cet état-là, cette tête a fait bien des folies, et ces folies étonnent sans cesser d'être naturelles. Voilà le mérite de M. de S[tendhal].

Dans les folies des héros de roman vulgaire, il n'y a de bonne que la première parce qu'elle étonne. Toutes les autres sont comme les originalités des sots dans la vie réelle, on s'y attend, partant elles ne valent rien, elles sont plates. Le genre plat est le grand écueil du roman in-12, écrit pour les femmes de chambre. Mais le grand bonheur des écrivains de ce genre de roman, c'est que ce qui semble *plat* dans les salons de Paris est *intéressant* pour la petite ville de huit mille habitants au pied des Alpes ou des Pyrénées et encore plus pour l'Amérique et l'étranger où vont finir des milliers de volumes de romans français.

La France *morale* est ignorée à l'étranger, voilà pourquoi avant d'en venir au roman de M. de S[tendhal] il a fallu dire que rien ne ressemble moins à la France gaie, amusante, un peu libertine, qui de 1715 à 1789 fut le modèle de l'Europe, que la France grave, morale, morose que nous ont léguée les jésuites, les congrégations et le gouvernement des Bourbons de 1814 à 1830. Comme rien n'est plus difficile en fait de romans que de peindre d'après nature, de ne pas *copier des livres*, personne encore avant M. de S[tendhal] ne s'était hasardé à faire le portrait de ces mœurs si peu aimables, mais qui malgré cela, vu l'esprit mouton de l'Europe, finiront par régner de Naples à Saint-Pétersbourg.

Remarquez une difficulté dont nous ne nous doutons pas à l'étranger. En faisant le portrait de la société de 1829 (époque où ce roman a été écrit), l'auteur s'exposait à déplaire aux laids visages dont il traçait les ressemblances, et ces laids visages alors tout-puissants pouvaient fort bien le traduire devant les tribunaux et l'envoyer pour treize mois aux *galères* de Poissy comme MM. Magallon et Fontan. »

Puis Stendhal analyse l'histoire du roman, « fort intéressante », passe en revue les personnages, « peints avec vérité », et insiste sur l'originalité qu'il y a à montrer un héros qui ne soit pas parfait :

« Au milieu de cette grandeur sordide, de cette richesse *si laide* d'un enrichi de petite ville, le caractère du jeune Julien qui, obscurément au fond de son cœur si jeune encore, sent profondément toute la *laideur* du luxe de M. le maire, est peint avec une vérité naïve et pleine de grâce. L'auteur ne traite nullement Julien comme un héros de roman de *femmes de chambre*, il montre tous ses défauts, tous les mauvais mouvements de son âme, d'abord bien égoïste parce qu'il est *bien faible* et que la première loi de tous les êtres, depuis l'insecte jusqu'au héros, *est de se conserver*. Julien est bien le petit paysan humilié, isolé, ignorant, curieux, plein de fierté, car son âme est généreuse et il s'étonne de mépriser les bassesses du riche M. de Rênal qui ferait tout pour de l'argent. Julien se voit environné d'ennemis. On maudit chaque jour, devant lui, ce Napoléon qu'il adore, parce qu'il faisait un capitaine et bientôt un général d'un jeune paysan qui avait du courage. Julien est obligé, pour jouer son rôle de jeune prêtre dévot, de maudire hautement Napoléon. L'âme de Julien est dans une situation violente, il n'aime personne et chaque jour il est étonné de devoir mépriser davantage M. de Rênal, M. Valenod, tous les notables bons royalistes de la petite ville qui viennent manger le chapon gras chez M. le maire. »

Mais la vie de province « si ennuyeuse, si pleine de soupçons, qui a envahi la France depuis 1800 a produit un caractère de femme charmant, et qui était impossible au milieu des mœurs gaies qui ont régné de 1715 à 1790 ».

« Grâce à la solitude, à l'isolement où l'on vit en Province par peur d'être dénoncé par le voisin, même quand on est maire, même quand on est employé par la soupçonneuse congrégation, Mme de Rênal est une de ces femmes qui ne savent pas si elles sont belles, qui l'ignorent, qui regardent leur mari comme le premier homme du monde, tremblantes devant ce mari et croyant l'aimer de tout leur cœur, douces, modestes, tout entières à leur ménage, chastes et retirées, aimant Dieu et priant. Sans compter que leur négligé est élégant, qu'elles sont le plus souvent en robes blanches, qu'elles aiment les fleurs, les bois, l'eau qui coule, l'oiseau qui chante, la poule qui court entourée de ses poussins, femmes charmantes, sans faste, sans tristesse, sans gaîté, et qui meurent souvent sans avoir connu l'amour. »

Ce nouveau type de femme aime d'un amour « vrai, simple, *ne se regardant pas soi-même* », bref, d'un « amour de cœur, qui contraste avec l'amour de tête parisien, représenté par Mathilde de La Mole. En conclusion, Stendhal récapitule avec satisfaction les mérites de l'œuvre :

« (Ce) livre est vif, coloré, plein d'intérêt et d'émotion. L'auteur a su peindre avec simplicité l'amour tendre et naïf.

Il a osé peindre l'amour de Paris. Personne ne l'avait tenté avant lui. Personne non plus n'avait peint avec quelques soins les mœurs données aux Français par les divers gouvernements qui ont pesé sur eux pendant le premier tiers du XIXe siècle. Un jour, ce roman peindra les temps antiques comme ceux de Walter Scott. »

► Accueil de la critique

Une bonne partie des journalistes s'insurge contre « l'atrocité morale » du héros, partant, de l'écrivain. « Un homme singulièrement brouillé avec la simplicité, une dénonciation en forme contre l'âme humaine; une sorte d'amphithéâtre où on le voit disséquer pièce à pièce la lèpre morale dont il la croit rongée » (*Revue de Paris*, 1830).

« De l'Algèbre sur le cœur humain; il prend huit à dix personnes et les barbouille de rouge et de noir... Tout mouton cachera sous sa laine l'âme d'un garçon boucher » (*L'artiste*, 1831).

« Il promène avec un admirable sang-froid son héros, son monstre à travers mille turpitudes, à travers mille niaiseries pires que des turpitudes. Singulier plaisir que s'est donné cet écrivain de réunir en bloc toutes les criailleries, toutes les misères, toutes les dissimulations de notre état social » (Jules Janin, 1830).

Cf. l'appréciation humoristique d'un ami :

« Un de vos crimes c'est d'avoir exposé à nu et au grand jour certaines plaies (...) trop salopes pour être vues (...). Il y a dans le caractère de Julien des traits atroces dont tout le monde sent la vérité, mais qui font horreur. Le but de l'art n'est pas de montrer ce côté de la nature humaine (...). Vous êtes impardonnable d'avoir mis en lumière les vilenies cachées de cette belle illusion (l'amour) » (Prosper Mérimée, *Lettres à Stendhal*, LXXIV, p. 221).

► Quelques points de vue sur l'œuvre

Sainte-Beuve reproche à Stendhal de créer des marionnettes, et d'être trop partial :

« Il forme ses personnages avec deux ou trois idées qu'il croit justes et surtout piquantes et qu'il est occupé à tout moment à rappeler. Ce ne sont pas des êtres vivants, mais des automates ingénieusement construits; on y voit, presque à chaque mouvement, les ressorts que le mécanicien y introduit et touche par le dehors. Dans le cas présent, dans *Le rouge et le noir*, Julien, avec les deux ou trois idées fixes que lui a données l'auteur, ne paraît plus bientôt qu'un petit monstre odieux, impossible, un scélérat qui ressemble à un Robespierre jeté dans la vie civile et dans l'intrigue domestique :

il finit en effet par l'échafaud. Le tableau des partis et des cabales du temps, que l'auteur a voulu peindre, manque aussi de cette suite et cette modération dans le développement. qui peuvent seules donner idée d'un vrai tableau de mœurs. » (*Causeries du lundi*, t. IX, p. 330, 9 janvier 1854.)

Plus tard, Zola lui reprochera d'être trop abstrait et de négliger le contexte concret des actions :

« Personne n'a possédé à un degré pareil la mécanique de l'âme. Une idée se présente, c'est la roue qui va donner le branle à toutes les autres ; puis une autre idée naît à droite, une autre à gauche, d'autres en avant, d'autres en arrière, et il y a des poussées, des retours, un travail qui s'organise peu à peu, qui se comporte, qui finit par montrer l'âme entière à la besogne, avec ses facultés, ses sentiments, ses passions. Cela emplit des pages ; on peut même dire que l'œuvre est faite de cette analyse. Le logicien conduit ses personnages avec une rigueur extrême au milieu des écarts les plus contradictoires en apparence... Chacun des caractères qu'il a créés est une expérience de psychologue qu'il risque sur l'homme... Stendhal pour moi n'est pas un observateur qui part de l'observation pour arriver à la vérité grâce à la logique ; c'est un logicien qui part de la logique et qui arrive souvent à la vérité, en passant par-dessus l'observation...

« Ce que je veux surtout retenir, c'est son dédain du corps, son silence sur les éléments physiologiques de l'homme et sur le rôle des milieux ambiants... Jamais le paysage, le climat, l'heure de la journée, le temps qu'il fait, la nature en un mot n'interviendra et n'agira sur les personnages... Il reste dans une abstraction voulue, il met l'être humain à part dans la nature et déclare ensuite que l'âme seule étant noble, l'âme seule a droit de cité en littérature. » (*Les romanciers naturalistes*, 1881.)

Avec le recul du temps, les critiques ont su voir dans l'aventure de Julien un destin exemplaire, qui illustre une vérité historique dépassant celle de la « société de 1830 ». Ainsi Paul Bourget :

« Que Julien Sorel soit un personnage de son époque, c'est trop évident. Pourquoi hésite-t-il entre la carrière de soldat et celle de prêtre, entre l'uniforme et la soutane ?... Parce qu'il est un jeune homme de la Restauration, encore enchanté du prestige de Napoléon et qui, dévoré d'ambition, se rend compte que le moyen de parvenir n'est plus au bivouac. Julien est aussi un provincial avec ce mélange de maladresse et de convoitise, d'effronterie et de timidité d'un dépaysé supérieur que Paris déconcerte et attire, exaspère et charme à la fois, qui s'en défie et s'y enchante. Cette atmosphère de malaise intime fut celle de Stendhal lui-même à son arrivée dans la capitale. Elle est peinte dans *Le rouge et le noir* avec une finesse extraordinaire... ... Cette continuelle oscillation entre l'Armée et l'Église devrait nous donner l'idée d'un temps bien vieux. Il n'en est rien parce que l'auteur a su mettre un dessous permanent à ces accidents. Si Julien hésite dans sa carrière, s'il est ému jusqu'à la frénésie par son adaptation à la vie parisienne, c'est qu'il est *un plébéien en transfert de classe*. » (Préface à l'édition J. Marsan, 1923.)

Enfin Paul Valéry insiste sur le « ton » inimitable de Stendhal :

« Ce qui frappe le plus dans une page de Stendhal, ce qui sur-le-champ le dénonce, attache ou irrite l'esprit, c'est le ton... Et de quoi ce ton est-il fait ? Je l'ai peut-être déjà dit : être vif à tous risques, écrire comme on parle quand on est homme d'esprit, avec des allusions même obscures, des coupures brusques, des bonds et des parenthèses ; écrire presque comme on se parle ; tenir l'allure d'une conversation libre et gaie ; pousser parfois jusqu'au monologue tout nu ; toujours et partout fuir le style poétique, et faire sentir qu'on le fuit, qu'on déjoue la phrase *perse*, qui, par le rythme et l'étendue, sonnerait trop pur et trop beau, atteindrait ce genre soutenu que Stendhal raille et déteste, où il ne voit qu'affectation, attitude, arrière-pensées non désintéressées. » (*Variétés II*, 1930.)

▶ Stendhal en Chine

Le Rouge et le Noir au programme des universités : la Chine vient de franchir une nouvelle étape dans la remise en marche de l'enseignement supérieur. Les aventures de Julien Sorel feront dans un premier temps l'objet d'un cours à l'université Fudan de Changhaï (...)

Stendhal, en écrivant le roman de l'individualisme et de l'ambition, pouvait-il penser qu'il deviendrait le « professeur par l'exemple contraire » de quelques millions de jeunes Chinois collectivistes ?

(*Le monde*, 21 mars 1972.)

Bibliographie sommaire ◀

Études d'ensemble sur Stendhal

ALAIN : *Stendhal* (P.U.F.).
  Quelques analyses intéressantes surtout sur le style de Stendhal.

GÉRARD GENETTE : *Figures II*, Essai sur Stendhal, Seuil, 1969.
  Essai sur la personnalité de Stendhal (égotisme, goût du pseudonyme) et sur la relation équivoque qui unit l'auteur à son œuvre.

JEAN-PIERRE RICHARD : *Littérature et sensation*, Seuil, 1954.
  Étude sur la coexistence chez Stendhal de deux « climats essentiels » : « sécheresse » et « tendresse », qui naît d'une double exigence : celle d'un bonheur où l'âme sensible s'anéantisse et celle d'une analyse lucide des êtres et des choses.

CLAUDE ROY : *Stendhal par lui-même*, Seuil, 1951.
  Des réflexions très éclairantes sur la personnalité de Stendhal, ses idées morales et politiques, sa conception de la littérature; une bonne anthologie d'extraits de l'écrivain.

Études sur les idées politiques de Stendhal

HENRI-FRANÇOIS IMBERT : *Les métamorphoses de la liberté*, Corti, 1967.
  Analyse de l'attitude de Stendhal face aux événements de son époque; son indifférence politique, la portée symbolique de ses héros.

GENEVIÈVE MOUILLAUD : *Sociologie des romans de Stendhal*, Revue internationale des Sciences Sociales, n° 4, 1967.
  Les idées de Stendhal éclairées par le milieu libéral qu'il fréquentait sous la Restauration.

FERNAND RUDE : *Stendhal et la pensée sociale de son temps*, Plon, 1967.

Études sur l'art du romancier

GEORGES BLIN : *Stendhal et les problèmes du roman*, Corti, 1953.
L'analyse la plus importante sur l'art du romancier et ses techniques.

VICTOR BROMBERT : *Stendhal et la voie oblique*, P.U.F., 1954.
Analyse très fine des divers procédés d'intervention de l'auteur dans *Le rouge et le noir;* étude des rapports entre l'écrivain et ses personnages : l'œuvre comme revanche imaginaire et comme auto-punition; ces exigences contradictoires sont le ressort caché du dynamisme dans le roman stendhalien.

PIERRE-GEORGES CASTEX : *Le rouge et le noir de Stendhal*, S.E.D.E.S., 1967.
Brève étude sur les sources du livre, ses « pilotis historiques »; reprise des analyses de Blin sur le style de l'écrivain.

JEAN PRÉVOST : *La création chez Stendhal*, Mercure de France, 1967.
Approfondissement sur quelques points de l'étude de Georges Blin.

ÉMILE ZOLA : *Les romanciers naturalistes*, Fasquelle.
Critique du roman stendhalien par le théoricien de l'école naturaliste.

Ouvrages généraux

RENÉ GIRARD : *Mensonge romantique et vérité romanesque*, 1961.
Étude de la médiation comme essence du roman : le héros ne choisit plus les objets de son désir, mais copie ceux du modèle qu'il se donne; *Le rouge et le noir* illustre particulièrement cette thèse.

LUCIEN GOLDMANN : *Pour une sociologie du roman*, Seuil, N.R.F., Idées, 1964.
Approche marxiste de la création romanesque; définition des différents types de roman.

CLAUDE-EDMONDE MAGNY : *Histoire du roman français depuis 1918*, Seuil, 1950.
Quelques allusions à Stendhal amenées par des rapprochements avec les romanciers contemporains.

Filmographie

GENNARO RIGHELLI : *Le rouge et le noir*, 1928.

Dans ce film, Julien Sorel périt héroïquement sur les barricades ! Du même réalisateur : *Il corriere del re* (Le courrier du roi), nouvelle adaptation vingt ans plus tard (1948).

CLAUDE AUTANT-LARA a tiré du roman un long métrage tourné en 1954. *Scénaristes :* Aurenche-Bost. *Acteurs :* Gérard Philipe (Julien), Danielle Darrieux (Mme de Rênal), Antonella Lualdi (Mathilde de La Mole).

▶ Thèmes de réflexion suggérés

● *Le rouge et le noir*, roman d'apprentissage. Comparer avec les *Illusions perdues* et *Splendeurs et misères des courtisanes* de Balzac, avec *L'éducation sentimentale* de Flaubert.

● Les figures féminines du roman.

● La peinture de l'Amour dans *Le rouge et le noir*. Rapprochements avec *De l'amour*, *La Chartreuse de Parme* et *Lucien Leuwen*.

● Appliquer au *Rouge* la pensée de Michelet : « Presque toujours, ceux qui montent, y perdent, parce qu'ils se transforment ; ils deviennent mixtes, bâtards ; ils perdent l'originalité de leur classe, sans gagner celle d'une autre. Le difficile n'est pas de monter, mais, en montant, de rester soi » (*Lettre à Edgar Quinet*, 24 janvier 1846).

● Étudier l'opposition province-Paris qui court à travers tout le roman. Faire un rapprochement avec les romans de Balzac et de Flaubert.

● Les intrusions d'auteur : en relever un certain nombre et les classer d'après le rôle qu'elles jouent dans le livre.

● « Julien ne sait rien sur les hommes et sur le monde que ce qu'il a appris en lisant, en cachette et à l'insu du curé Chélan, *les Confessions* de Rousseau. La position de Rousseau dans sa jeunesse a plus d'un rapport avec la sienne, de là l'immense influence de ce livre sur son caractère. »
A partir de ce rapprochement développé par Stendhal lui-même dans son projet d'article au comte Salvagnoli, montrer les nombreuses parentés qui existent entre Rousseau et Julien Sorel :
- origine sociale ;
- origine familiale ;
- éducation livresque et idées politiques ;
- situation sociale ;
- première expérience sentimentale ;
- orgueil et haine de la société en place.
(*Le rouge* : « C'était l'homme malheureux en guerre avec toute la société », p. 379.)

Index des thèmes

COLLECTION PROFIL

Imprimé en France par l'imprimerie Aubin - 86240 LIGUGÉ
Dépôt légal : juillet 1985 — Nº d'édition : 7613 — Nº d'impression : L 20196